Littérature française

Le Moyen Âge

DES MÊMES AUTEURS

CAROLE NARTEAU :

Français 3e (livre du professeur et livre unique pour l'élève), collectif, sous la direction de Françoise Colmez, coll. « Textes, langages et littératures », Bordas, 2003.
Français 6e (livre du professeur et livre unique pour l'élève), collectif, sous la direction de Françoise Colmez, coll. « Textes, langages et littératures », Bordas, 2005.
Français 5e (livre du professeur et livre unique pour l'élève), collectif, sous la direction de Françoise Colmez, coll. « Textes, langages et littératures », Bordas, 2006.
Français 4e (livre du professeur et livre unique pour l'élève), collectif, sous la direction de Françoise Colmez, coll. « Textes, langages et littératures », Bordas, 2007.
Français 3e (livre du professeur et livre pour l'élève en 2 volumes), collectif, sous la direction de Françoise Colmez, coll. « Textes, langages et littératures », Bordas, 2008.

IRÈNE NOUAILHAC :

400 citations littéraires, de Rabelais à Proust, Éditions du Chemin bleu, 2005.
Histoire de France en 500 dates, du Moyen Âge à nos jours, Éditions du Chemin bleu, 2005.
Le Pluriel de bric-à-brac et autres difficultés de la langue française, Points-Seuil, 2006.

CAROLE NARTEAU ET IRÈNE NOUAILHAC :

Mouvements littéraires français du Moyen Âge au XIXe siècle, Librio, 2005.
Littérature française : Moyen Âge, XVIe siècle, XVIIe siècle, XVIIIe siècle, XIXe siècle, XXe siècle, Librio, 2009.

Carole Narteau
et Irène Nouailhac

Littérature française
Le Moyen Âge

Inédit

Cet ouvrage fait partie d'une série de six volumes sur la littérature française, du Moyen Âge au XXᵉ siècle.

Nous présentons les principales tendances littéraires et abordons chronologiquement les œuvres majeures qui s'y rattachent. Cette approche centrée sur les œuvres amène à mentionner certains auteurs à plusieurs reprises.

Lorsqu'un auteur ou une œuvre sont suivis d'un astérisque, c'est qu'ils sont évoqués dans une autre partie de l'ouvrage (se reporter aux index). Lorsqu'ils sont suivis d'un double astérisque, c'est qu'ils sont développés dans un autre volume de la série.

Philippe de Mézières, *Songe du Vieil Pèlerin*, v. 1390, bibliothèque de l'Arsenal, Paris.

Sommaire

Préface

La littérature française naît lorsque les poètes abandonnent le latin au profit de la langue « vulgaire » : le « roman », ancêtre du français.

Dès l'effondrement de l'Empire romain, au Ve siècle – qui marque le début du Moyen Âge –, le latin parlé subit des altérations rapides ; on le nomme « bas latin ». Le latin académique demeure cependant la langue officielle de l'Église, de l'enseignement et de l'écrit en général. Mais au VIIIe siècle, la langue parlée a tellement évolué que la majorité de la population ne comprend plus le latin. C'est pourquoi, en 813, le concile de Tours invite les prêtres à prêcher en langue vulgaire. Et en 842, les serments de Strasbourg – qui réconcilient temporairement deux petits-fils de Charlemagne – sont prononcés en français (roman) et en allemand (tudesque) afin que les troupes les comprennent.

Sur le territoire de la France actuelle, au milieu d'une foule de dialectes locaux, deux langues romanes se différencient globalement : la langue d'oc au sud, la langue d'oïl au nord. C'est le parler, puis l'écrit de l'Île-de-France, fief du roi, qui unifiera le tout.

Toute la littérature en langue romane est destinée à être chantée ou jouée, le texte n'étant qu'un aide-mémoire. Cependant il fait autorité, et par lui les œuvres sont conservées. La langue romane passe ainsi le cap de l'écrit.

Dame à la Licorne, tapisserie des bords de Loire, « La vue » (détail), XVIe siècle, musée national du Moyen Âge, Paris.

La littérature française du Moyen Âge, ce sont cinq siècles foisonnants d'expériences :

> Tout art au Moyen Âge est invention. […] Le nom du poète aux temps féodaux a été : le *trouvère*, celui qui trouve, trouveur, *trobador* – autrement dit : l'inventeur. (Régine Pernoud)

Malheureusement, seule une infime partie des poèmes et romans médiévaux sont parvenus jusqu'à nous.

Les premiers textes littéraires français datent du XIe siècle. Ce sont des « chansons de geste » et des épopées lyriques anonymes qui célèbrent les exploits guerriers et la lutte contre les païens. Elles connaissent un grand succès et se diffusent dans toute l'Europe en étant constamment réinterprétées et enrichies. Il en existe des centaines ! Au XIIIe siècle, lorsque la poésie devient prose, ces cycles rimés se transforment en « romans ».

Au XIIe siècle apparaît l'idéal « courtois », qui donne une place d'honneur à l'amour : désormais, les chevaliers dédient leurs prouesses à leur Dame et cherchent à perfectionner leurs vertus. Mêlant accomplissements guerriers, passion amoureuse et mysticisme, le mouvement courtois va inspirer des mythes toujours vivants aujourd'hui (le cycle du Graal, *Tristan et Iseut*) et de nombreux poètes, en particulier Marie de France.

Loin de ces jeux aristocratiques se développe en parallèle une littérature populaire, autour de deux pôles : d'un côté, des romans et des contes satiriques (*Roman de Renart*) qui dénoncent les injustices de la société féodale et donnent la parole aux plus faibles ; de l'autre, une expression dramatique extrêmement variée, qu'elle soit profane – comme la célèbre *Farce de maître Pathelin* – ou religieuse, mettant en scène l'Évangile.

Au Moyen Âge, le christianisme triomphant assure l'unité morale et culturelle du pays, comme en témoigne une floraison de vies de saints, contes dévots et poèmes de la mort. Résolument édifiante, la littérature cherche à interpréter le monde (bestiaires, lapidaires, plantaires) ou, avec les chroniqueurs, à restituer les grands événements historiques du temps.

Au XVe siècle enfin, alors que l'Italie vit son Rinascimento, la littérature médiévale est caractérisée par un grand retour de la poésie : contestataire avec Villon, lyrique autour de Guillaume de Machaut, Christine de Pisan et Charles d'Orléans. C'est la naissance de la poésie individuelle moderne.

Nous avons privilégié la simplicité et la clarté, en proposant des résumés synthétiques et en mettant en relief des citations typiques de chaque auteur. Nous espérons que chacun trouvera du plaisir aux petits moments picorés dans cet ouvrage, autant de mises en bouche pour éveiller les souvenirs et le désir de lire…

Bonnes lectures !

C. NARTEAU et I. NOUAILHAC

Chronologie historique

PÉRIODE FRANQUE (Vᵉ-VIIIᵉ siècles)

Le « haut Moyen Âge » débute lors de la dislocation de l'Empire romain, au Vᵉ siècle. À cette époque, le pays est ravagé par des invasions germaniques et constitue une mosaïque d'États barbares jusqu'à l'unification de la Gaule par Clovis. Puis la dynastie des Mérovingiens règne sur les vestiges du royaume de Clovis durant deux siècles et demi.

410 Prise de Rome par les Goths.
420 Invasion des Francs, qui s'installent en Picardie.
451 Bataille des champs Catalauniques : Attila est repoussé.
476 Fin de l'Empire romain en Occident.
496 Conversion de Clovis, roi germain, au catholicisme ; il est baptisé à Reims.

Baptême de Clovis, plaque de reliure du IXᵉ siècle.

511 Mort de Clovis et partage du royaume entre ses quatre fils.
561 Mort de Clotaire Iᵉʳ et partage du royaume.
613 Clotaire III à la tête du royaume franc réunifié.
614 Prise de Jérusalem par les Perses ; l'Empire romain d'Orient devient Empire byzantin (empereur Héraclius).
629-639 Règne de Dagobert Iᵉʳ.
638 Prise de Jérusalem par les musulmans.
639 Début de la période des « rois fainéants » ; le véritable pouvoir est aux mains des « maires du palais » ; l'unité du royaume est rompue.
679 Pépin le Jeune, ancêtre des Carolingiens, prend le pouvoir.
714-741 Règne de Charles Martel.
720 Prise de Narbonne par les Sarrasins.
732 Victoire contre les Arabes à Poitiers.

PÉRIODE IMPÉRIALE (IXe-Xe siècles)

L'Empire carolingien est géré selon une organisation méthodique : délégation du pouvoir à des « comtes » locaux, circulation permanente de messagers-contrôleurs (*missi dominici*), assemblées annuelles ; réforme monétaire ; refonte des systèmes de mesure ; création d'écoles, développement des arts et de la culture (cathédrale d'Aix-la-Chapelle, enluminures de Saint-Riquier et Saint-Gall)… C'est la « Renaissance carolingienne », au sein d'une Europe unifiée.

751 Sacre de Pépin le Bref, époux de Berthe aux grands pieds.

768-814 Règne de Charlemagne.

772 Occupation de la Saxe.

773 Conquête du royaume lombard.

778 Expédition en Espagne ; mort de Roland, comte de la Marche de Bretagne, au col de Roncevaux.

787 Annexion de la Bavière.

791-796 Soumission des Avars (actuelle Hongrie).

795 Création de la Marche d'Espagne, annexion des Baléares.

797 Prise de la Vénétie et du Bénévent (actuelle Italie).

799 Fin de la conquête de l'Armorique.

800 Charlemagne sacré empereur du Saint Empire romain par le pape à Rome.

801 Prise de Barcelone.

814-840 Règne de Louis le Pieux.

840-892 Invasions normandes.

Statue de Charlemagne, abbaye de Monte Cassino, Italie.

842 Serments de Strasbourg (en roman et tudesque), où Charles le Chauve et Louis le Germanique, petits-fils de Charlemagne, s'allient contre leur frère aîné Lothaire.

843 Partage de Verdun, où l'Empire carolingien est scindé en trois nations : Germanie, Lotharingie, royaume des Francs ; Charles le Chauve est roi de France (→ 875).

845 Indépendance de la Bretagne (→ 1514).

879-888 Règne de Charles le Gros de Germanie.

888-898 Règne d'Eudes, comte de Paris, ancêtre des capétiens.

910 Fondation de l'abbaye de Cluny ; début des grands ordres monastiques en Occident ; routes et églises de pèlerinage.

954-986 Règne de Lothaire III.

962 Othon Ier le Grand est sacré à Rome empereur du Saint Empire romain germanique.

ÂGE FÉODAL (XIe-XIIIe siècles)

Le règne de Hugues Capet marque l'entrée de la France dans l'âge féodal et dans le Moyen Âge proprement dit. Avec les Capétiens, la France devient une véritable nation unifiée, au sein de la féodalité. C'est l'apogée de l'art roman (abbayes de Cîteaux, Vézelay, Fontenay, Sénanque et Montmajour ; cathédrales de Conques et Orcival).

987-996	Règne de Hugues Capet, duc des Francs, d'Aquitaine et de Bourgogne.
996-1031	Règne de Robert le Pieux ; annexion de la Bourgogne.
1031-1060	Règne de Henri Ier ; la monarchie est désormais héréditaire et indivisible par droit de primogéniture.
1054	Rupture entre l'Église chrétienne d'Orient et d'Occident.
1066	Bataille de Hastings : Guillaume le Conquérant, duc de Normandie, devient roi d'Angleterre.
1095-1099	Ire croisade, prise de Jérusalem par Godefroi de Bouillon.
1137-1180	Règne de Louis VII ; création des « ordonnances royales »
1152	Louis VII répudie Aliénor d'Aquitaine, qui se remarie avec Henri II Plantagenêt, roi d'Angleterre, en 1154.
1163-1245	Construction de Notre-Dame de Paris.
1180-1223	Règne de Philippe Auguste ; le domaine royal quadruple.
1189	IIIe croisade pour reprendre Jérusalem, perdue en 1187 ; les rois de France et d'Angleterre échouent face à Saladin.
1194	Guerre contre le roi d'Angleterre Richard Cœur de Lion.
1200	Fondation de l'Université de Paris.
1204	IVe croisade, prise de Constantinople.
1209-1244	Croisade contre les albigeois (cathares).
1210	Fondation des ordres mendiants (dominicain et franciscain).
1214	Victoire de Bouvines contre Otton IV, roi de Germanie, allié à Jean sans Terre, roi d'Angleterre.
1226-1270	Règne de Saint Louis (Louis IX) ; sa mère Blanche de Castille assure la régence jusqu'en 1254.
1233	Création de l'Inquisition.
1244	Reprise définitive de Jérusalem par les musulmans.
1252	Création de la Sorbonne.
1259	Traité de Paris : paix avec l'Angleterre.
1270	VIIIe croisade ; mort de Saint Louis à Tunis.
1291	Perte définitive de la Terre sainte, fin des croisades.

Aliénor d'Aquitaine. XIe siècle, fresque de la chapelle Sainte-Radegonde de Poitiers.

MOYEN ÂGE TARDIF (XIVe-XVe siècles)

Le « bas Moyen Âge », période de transition entre féodalité et monarchie, est marqué par la guerre de Cent Ans, les famines et la terrible épidémie de peste noire. L'art devient gothique (cathédrales de Paris, Chartres, Reims, Strasbourg).

1285-1314 Règne de Philippe le Bel : renforcement de la monarchie ; loi salique ; extermination des Templiers.

1328 Règne de Philippe VI (avènement des Valois) ; création de la gabelle, impôt sur le sel.

1337 Début de la guerre de Cent Ans car Édouard III Plantagenêt, roi d'Angleterre, revendique le trône de France.

1346 Défaite de Crécy face aux Anglais.

1347 Prise de Calais par l'Angleterre.

1348-1358 Peste noire, qui décime un tiers de l'Europe…

1356 Défaite de Poitiers : le roi Jean le Bon et son fils sont faits prisonniers ; soulèvement de Paris, pogroms, jacqueries.

1364-1380 Règne de Charles V le Sage ; reconquête du royaume avec le connétable Du Guesclin.

Jeanne d'Arc. Miniature du XVe siècle, musée de Rouen.

1378 Grand Schisme (→ 1417) : il y a un pape à Avignon et un pape à Rome !

1380-1422 Règne de Charles VI le Fou ; guerre civile entre Armagnacs et Bourguignons, ces derniers s'alliant à l'Angleterre.

1415 Défaite d'Azincourt ; le roi Henri V d'Angleterre s'empare de la Normandie.

1420 Traité de Troyes, qui fait du souverain anglais l'héritier de la couronne de France !

1429-1431 Épopée de Jeanne d'Arc, qui libère Orléans et aide Charles VII à « bouter les Anglais hors de France ».

1429-1461 Règne de Charles VII : libération de l'occupation anglaise, instauration de la taille (premier impôt d'État), création de la première armée française.

1453 Prise de Constantinople par les Turcs, qui en font la capitale de l'Empire ottoman et la rebaptisent Istanbul.
Fin de la guerre de Cent Ans (les Anglais renoncent au trône de France) ; reconquête de Bordeaux.

1461-1483 Règne de Louis XI : unification du pays.

1477 Mort de Charles le Téméraire, dernier duc de Bourgogne, ennemi de toujours du roi.

1482 Traité d'Arras : partage des États bourguignons.

1492-1498 Règne de Charles VIII, époux d'Anne de Bretagne ; début des guerres d'Italie.

La littérature épique

Au Moyen Âge, il existe trois grandes « matières » épiques. Les « chansons de geste », qui forment la « matière de France », se développent à partir du Xe siècle. Elles consolident les bases de la société féodale en la définissant dans le culte de son propre passé. Elles célèbrent les épopées et prouesses guerrières (*res gestae*) des héros de l'époque impériale tels Charlemagne ou Guillaume d'Orange, mais aussi de hautes figures de l'âge féodal, en particulier les croisés. Leur thème principal est la lutte sans trêve des chevaliers chrétiens contre les forces du Mal – incarnées par les Sarrasins – dans le cadre d'une société guerrière, fortement hiérarchisée et très pieuse. Ces poèmes sont chantés par des « jongleurs » (poètes de langue d'oïl) accompagnés d'un instrument qui se produisent tout aussi bien dans les foires que dans les châteaux du nord de la France.

La « matière de Bretagne » s'inspire quant à elle du fonds de légendes et de contes transmis oralement par les populations celtiques ; elle s'organise autour de la mythique histoire du roi Arthur et des chevaliers de la Table Ronde.

La « matière antique », enfin, reprend les thèmes et motifs des grandes œuvres de l'Antiquité et situe les aventures de ses héros dans un Orient mythique. C'est le produit direct de la *translatio* ou « mise en roman » – c'est-à-dire de la traduction du latin en langue romane –, mais à la façon médiévale, en adaptant librement les histoires antiques au contexte féodal.

Épopée de Guillaume le Conquérant, duc de Normandie. Tapisserie de Bayeux (XIe siècle), qui illustre les événements menant à la bataille de Hastings et à la victoire de Guillaume sur le roi Harold d'Angleterre.

La chanson de geste, ou « matière de France »

Les chansons de geste connaissent leur apogée aux XIe et XIIe siècles. Chaque chanson est le plus souvent constituée d'environ 4 000 strophes (les « laisses ») de longueur inégale, construites autour d'une seule voyelle (elles sont « assonancées »), avec des vers de dix pieds (les décasyllabes). Ce système de laisses assonancées permettait de chanter les poèmes sur une mélodie uniforme.

Dans la seconde moitié du XIIe siècle, des cycles sont constitués à partir des chansons primitives. La « matière » s'enrichit d'éléments rhétoriques, féeriques et folkloriques, et on accorde davantage de place aux intrigues amoureuses. La longueur de la chanson augmente, la rime remplace l'assonance, on abandonne le décasyllabe pour l'alexandrin et l'octosyllabe. Enfin, avec l'apparition de la prose au XIIIe siècle, les chansons de geste deviennent des « romans ».

Les chansons de geste de la « matière de France » forment quatre cycles majeurs : celui de Charlemagne, celui de Guillaume d'Orange (cycle de Garin de Monglane), celui de Godefroi de Bouillon (cycle de la Croisade) et celui des barons révoltés (cycle de Doon de Mayence). Mentionnons également le « cycle des Lorrains » – avec *Garin le Lorrain* (XIIe siècle), *Hervis de Metz, Gerbert de Metz, Anseïs de Metz* et *Yon ou la Vengeance Fromondin* (XIIIe siècle) –, ainsi que le « cycle du cœur mangé », dont fait partie le *Roman du châtelain de Coucy et de la dame de Fayel* (XIIIe siècle). La plupart des chansons de geste françaises ont été imitées et traduites dans toute l'Europe.

Le cycle de Charlemagne

La *Geste du Roi* a pour figure de proue Charlemagne entouré de ses paladins, notamment Roland et Olivier. Elle glorifie l'idéal chrétien et exalte le principe de la monarchie féodale, le respect du vassal pour son seigneur et les vertus de loyauté et de fidélité. L'ensemble du cycle carolingien se fixe entre la fin du XIIe et le milieu du XIIIe siècle.

Charlemagne et son armée quittent Roland et les pairs.
Karl der Grosse du Stricker, détail, v. 1300, Saint-Gall, Suisse.

Berthe aux grands pieds, ou la fiancée substituée

On doit le *Roman de Berte aux grands pieds* (seconde moitié du XIIe siècle) à l'auteur brabançon **Adenet le Roi**, soucieux de la délicatesse de la forme. Berte, princesse de Hongrie, va épouser Pépin, roi des Francs. Mais sa place est prise la nuit de ses noces par la fille de sa servante, qui lui ressemble en tout, pieds exceptés. Berte échappe de peu à la mort et se réfugie à la campagne. Pépin a deux enfants de la fausse reine quand Blanchefleur, la mère de Berte, vient voir sa fille et découvre la supercherie. Le crime est puni et, par chance, Pépin retrouve la vraie Berte durant une partie de chasse. Elle monte sur le trône et sera la mère de Charlemagne.

La jeunesse de Charles

Mainet et *Basin* (seconde moitié du XIIe siècle) racontent la jeunesse du futur empereur, comment encore enfant il reconquiert son royaume, et ses aventures amoureuses avec Elegast.

L'expédition contre les Sarrasins d'Italie

La chanson d'*Aspremont* (fin du XIIe ou début du XIIIe siècle) évoque les invasions sarrasines en Italie avec un réel sens du pittoresque. Agolant, roi d'Afrique, prétend contraindre Charlemagne à se convertir à la foi païenne et à se soumettre. Almont, son fils, envahit l'Italie et Charles descend avec son armée jusqu'en Calabre, au pied des montagnes d'Aspremont. Après de longues batailles, Almont, vaincu, est pourchassé par l'empereur. Le tout jeune Roland, pas encore chevalier, rejoint son oncle et tue Almont à l'aide d'un seul bâton. La fameuse épée d'Almont, Durendal, sera désormais sienne.

Girart de Vienne

Girart de Vienne (v. 1180) appartient également au cycle de Guillaume (voir p. 25). Les quatre fils de Garin de Monglane ont longtemps été les fidèles vassaux de Charlemagne. Mais un jour, la reine outrage l'un d'eux,

Girart, qui possède un fief à Vienne (actuelle Isère). Soutenu par ses frères et son père, il défie Charlemagne, qui les assiège à Vienne durant sept ans. C'est lors de ce siège que Roland s'éprend de la belle Aude, sœur d'Olivier. Il veut l'enlever mais Olivier s'y oppose. Les deux paladins se battent en duel et, ne pouvant se vaincre, tombent dans les bras l'un de l'autre et se jurent une éternelle amitié. Enfin Girart décide de se soumettre et, avec ses frères et ses compagnons, il se reconnaît le vassal de Charlemagne.

Les quatre fils d'Aymon chevauchant Bayard. *Geste de Maugis*, XIVe siècle, BNF, Paris.

Renaud de Montauban

Dans *Les Quatre Fils Aymon* ou *Renaud de Montauban* (XIIIe siècle), le duc Aymes de Dordone présente à Charlemagne ses quatre fils, que l'empereur arme chevaliers. Le lendemain l'un d'eux, Renaud, tue un neveu de Charlemagne au cours d'une dispute. Les quatre frères s'enfuient et sont poursuivis pendant des années par le courroux de Charles, bien que leur valeur mérite le pardon. Ils finissent par offrir leurs bras au roi Ys de Bourgogne, qui leur donne le château de Montauban. Mais Charlemagne les retrouve et les assiège. Les frères se battent comme des lions, aidés par la rapidité de Bayard, le destrier de Renaud, et par les sortilèges du magicien Maugis. Renaud demande la paix à l'empereur. Mais Charles exige que Maugis lui soit livré, ce que le noble Renaud ne peut accepter. La guerre se poursuit donc jusqu'à ce que les barons de Charlemagne refusent de continuer. La paix est conclue, Renaud livre Bayard et part pour la Terre sainte, où l'attendent de nombreuses autres aventures… Il meurt finalement à Trémoigne (Dortmund) dans la grâce de Dieu. Ce roman eut un très grand succès, de rue comme de cour ; il en existe de nombreuses versions et développements, notamment sur le magicien Maugis (*Maugis d'Agremont* ; *Mort de Maugis*), et il fut traduit dans toute l'Europe. Il fait également partie du cycle des révoltés (voir p. 30).

La conquête de la Bretagne

La *Chanson d'Aquin*, ou *d'Aiquin* (1190-1200), attribuée à **Garin Trossbœuf**, barde de l'archevêque de Dol, raconte la lutte contre Aiquin, chef normand qui a envahi la Bretagne et l'a mise en coupe réglée à l'exception des cités de Dol, Rennes et Vannes. Isoré, l'archevêque de Dol, organise la résistance et fait appel à Charlemagne, qui vient avec son armée prêter main-forte aux Bretons. La chanson comporte des éléments celtiques de tradition orale comme l'histoire de la ville de Gardaine engloutie par la mer, qui n'est pas sans évoquer la ville d'Ys de la légende…

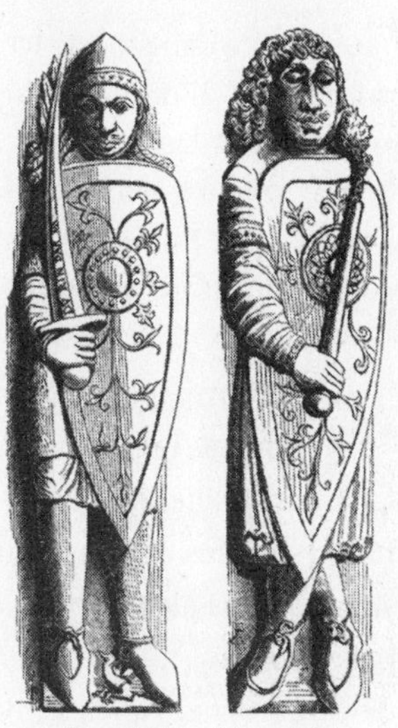

Statues de Roland (à gauche) et d'Olivier (à droite) au portail de la cathédrale de Vérone, XIIe siècle.

Voyage à Jérusalem et Constantinople

Le *Pèlerinage de Charlemagne à Jérusalem et Constantinople* (1200) met en scène Charlemagne et ses douze pairs. On pense qu'il s'agit d'une parodie de la vie conjugale de Louis VII et d'Aliénor d'Aquitaine. La reine se moque de Charlemagne, comme Aliénor avait ridiculisé son époux. L'empereur part à Jérusalem et à Constantinople, comme Louis VII – Charlemagne, lui, n'y est jamais allé ! Et son voyage, qui n'est pas vraiment un pèlerinage, tourne au grotesque. Néanmoins, Charles est très fier de lui en rentrant, et il pardonne à la reine le tort qu'elle lui a fait.

La destruction de Rome

La *Destruction de Rome* (XIIIe siècle) reprend une chanson plus ancienne racontant comment l'émir Balan réunit une armée en Espagne et parvint en bateau à Rome, qu'il détruisit avant l'arrivée de Charlemagne. Son forfait accompli, Balan s'en retourna chez lui en emportant les saintes reliques.

> La sauvagerie des Sarrasins atteint un degré extrême. Leurs bandes mettent le feu aux châteaux, aux villes, aux fortifications, brûlent les églises, incendient toute la campagne romaine, laissent un monceau de ruines sur leur passage. Ils pillent les biens […] L'émir fait tuer tous les prisonniers, laïcs et religieux, femmes et jeunes filles. Les Sarrasins se livrent aux pires atrocités, coupant les nez et les lèvres, le poing et l'oreille de leurs victimes innocentes, violant les religieuses […] Entrés dans Rome, ils décapitent tous ceux qu'ils rencontrent. Le pape lui-même est décapité dans la basilique de Saint-Pierre.
>
> *Trad. Paul Bancourt*

Comme dans toutes les chansons de geste, les faits rapportés sont à moitié imaginaires, le poète cherchant avant tout à captiver son auditoire. En réalité, en 846, il n'y eut guère de violences : seules les basiliques furent pillées par les Sarrasins, et le pape mourut de façon naturelle…

La reconquête des saintes reliques

Fierabras (XIIe siècle) raconte la vengeance de Charlemagne, qui se lance à la poursuite de Balan et capture Fierabras. Malheureusement, Olivier et quelques autres paladins tombent aux mains des Sarrasins. La belle Floripas, fille de Balan, s'éprend de l'un d'eux, Guy de Bourgogne. Après de nombreuses aventures pittoresques, Charlemagne arrive en Espagne et tue Balan. Il partage le royaume païen entre Fierabras (désormais converti) et Guy de Bourgogne (qui épouse Floripas), et rapporte en France les reliques de la Passion. Ce poème épique français eut un succès extraordinaire, de rue comme de cour, et fut traduit dans de nombreuses langues.

Saint Jacques enjoint à Charlemagne dans un songe de délivrer son tombeau à Compostelle. Vitrail de la cathédrale de Chartres, XIIIe siècle.

L'entrée en Espagne

L'*Entrée en Espagne* (fin du XIIIe siècle) relate le début de la guerre espagnole. Charlemagne décide d'entrer en guerre contre Marsile, roi mauresque d'Espagne, afin de ramener cette terre dans la chrétienté. Roland, qui fait partie des douze pairs, parvient à tuer le géant Ferragus. Une grande bataille s'engage alors sous les murs de Pampelune. Après leur victoire, Roland empêche Charlemagne de mettre à mort le jeune Isoré, fils du roi Malceris, qui avait brillé par son courage. Une nouvelle bataille commence ; Roland, placé à l'arrière-garde, quitte le champ de bataille pour s'emparer de la ville de Nobles. Lorsqu'il revient, l'empereur le frappe au visage et le paladin, indigné, s'embarque pour la Perse. Là, le souverain persan est menacé par le vieux roi Malquidant, qui veut épouser sa fille Dionès. Roland tue l'arrogant Pelias envoyé par Malquidant et tombe amoureux de Dionès. Las ! il a donné sa foi à la belle Aude, qui l'attend en France. Lorsque le royaume de Perse est sauvé, Roland y introduit les mœurs chevaleresques et forme Samson, le frère de Dionès, qu'il finit par ramener en France après différentes aventures et un voyage en Terre sainte.

La prise de Pampelune

La *Prise de Pampelune* (début du XIVe siècle, basée sur une chanson perdue) raconte la marche de Charlemagne sur Saragosse depuis Pampelune. Isoré et son père Malceris défendent la ville assiégée. Charlemagne, sur le point de périr, est sauvé par les Lombards de son armée. Altumajor est vaincu, puis Logroño et Estella. Deux ambassades sont alors envoyées à Marsile, le dernier adversaire de Charlemagne. Elles sont massacrées. Cette fois la guerre devient implacable ! Les Français triomphent de Malceris et emportent Tudela, Cordres, Charion, Saint-Fagon, Masele et Lion. Après le siège d'Astorga, il ne reste plus que Saragosse à prendre.

Roland à Roncevaux

La *Chanson de Roland* (entre 1070 et 1100) est la plus grandiose et solennelle de toutes les épopées médiévales, et l'influence qu'elle a exercée, en France et à l'étranger, est incalculable. Elle serait l'œuvre de Théroulde, évêque de Bayeux puis moine à l'abbaye du Bec en Normandie. Elle est centrée sur la déroute historique de Roncevaux du 15 août 778, à l'époque où Charlemagne achevait de chasser les musulmans de la France méridionale. En réalité, ce sont des brigands basques qui ont attaqué l'arrière-garde de l'armée de Charlemagne, alors que celui-ci – qui n'était pas encore empereur – regagnait la France pour mater une rébellion de Saxons. Mais la légende raconte le retour de l'« empereur à la barbe fleurie », âgé de plus de 200 ans, victorieux après une expédition de sept années contre les Maures d'Espagne. Seule lui résiste désormais la cité de Saragosse, dont Marsile est le roi. Marsile, à bout

Charlemagne charge Ganelon de l'ambassade auprès du roi Marsile à Saragosse. Derrière lui, Roland et Olivier. Miniature des *Grandes Chroniques de France*, XIVe siècle, BNF, Paris.

Charlemagne retrouve le corps de Roland à Roncevaux. *Les Grandes Chroniques de France*, milieu du XVe siècle, BNF, Paris.

de ressources, demande la paix, et Roland propose Ganelon pour accomplir cette périlleuse mission. Plein de rancœur contre son beau-fils, Ganelon se laisse gagner à l'idée d'une trahison pour se venger de Roland : Marsile feindra d'accepter les conditions de Charlemagne, Ganelon le convaincra de retourner en France, et, dans les gorges des Pyrénées, l'arrière-garde de l'armée commandée par Roland sera détruite. Le plan réussit : 400 000 Sarrasins écrasent les 20 000 hommes de Roland malgré leurs prouesses guerrières. Roland, qui répugne à se servir de son olifant, sonne du cor mais trop tard, et le gros de l'armée carolingienne n'accourt que pour trouver des milliers de cadavres. Une intervention divine prolonge le jour de façon que les Francs puissent exterminer tous les Sarrasins.

À peine Charles a-t-il fini de célébrer les funérailles de Roland et des pairs que l'armée de l'émir de Babylone rejoint en renfort celle de Marsile. Une terrible bataille s'ensuit, qui se termine par un duel entre les deux chefs suprêmes. L'émir est abattu, les Francs prennent Saragosse, Marsile meurt de chagrin et sa femme est baptisée. Charlemagne rentre à Aix-la-

Connais-tu la complainte
Du grand Roland ?
Là-bas, entends la plainte
Du cor dolent !
Il suivait Charlemagne,
Fier paladin,
Et battit en Espagne
Le Sarrasin.

Triomphants, Charlemagne
Et ses féaux
Descendaient la montagne
Vers Roncevaux.
Par les ravins sauvages
On défilait ;
Pour garder les passages
Roland veillait.

La triste sonnerie
Jaillit soudain,
Charles s'arrête et crie :
« Ce son lointain ?...
Paladins en arrière,
C'est l'olifant !
Repassons la frontière,
Aide à Roland ! »

Perdue, et par traîtrise
De Ganelon,
Son armée est surprise,
Grâce au félon.
Les instruments sonores
Des mécréants
Ont retenti, les Maures
Vont menaçants.

Ô héros d'épopée,
Brave et féal,
Va, brise ton épée,
Ta Durendal !
Adieu ! Ta douce France !
Par saint Michel,
Âme, fleur de vaillance,
Volez au ciel !

Du cor mélancolique
L'appel est doux.
Ô phalange héroïque,
Reviendrez-vous ?
Est-ce, Roland, ton âme,
Est-ce ta voix,
Ce cor qui pleure et clame
Au fond des bois ?

Chapelle, où Ganelon est jugé et écartelé. Et Aude, la fiancée de Roland, tombe morte en apprenant la disparition de son promis. Roland aura commis la double faute d'exciter la haine de Ganelon et de ne pas appeler Charles à l'aide, mais il se sera racheté en mourant en martyr…

Otinel

Otinel (XIIIe siècle) est une petite chanson purement fictive. L'empereur, de retour en France après la prise de Pampelune, se dispose à retourner en Espagne quand arrive à sa cour un neveu de Ferragus : Otinel est chargé par le Sarrasin Marsile, conquérant de Rome et de la Lombardie, de sommer Charlemagne de rendre hommage et d'abjurer la foi chrétienne. Par un miracle soudain, c'est Otinel qui renie la loi de Mahomet ; il est baptisé avec Charlemagne pour parrain, qui le fiance à sa fille Belisent. Élevé au rang de pair, Otinel marche contre Marsile, et, après avoir contribué à sa défaite, reçoit la couronne de Lombardie.

Charlemagne contre les Sarrasins. *Grandes Chroniques de France*, XIVe siècle, BNF, Paris.

Les fils des chevaliers secourent leurs pères en Espagne

Gui de Bourgogne (fin du XIIe siècle) raconte comment les enfants des barons décident d'aller secourir leurs pères, embourbés depuis vingt-sept ans en Espagne. Ils élisent pour roi un neveu de Charlemagne, Guy de Bourgogne, et partent avec une armée. Il s'agit de prendre les cinq villes que l'empereur n'a pu soumettre. La chanson décrit l'évolution des relations entre pères et fils, mais aussi entre Français et Sarrasins. Car les tactiques militaires et religieuses diffèrent selon les générations. Les enfants assouplissent les processus de conversion, autorisant par exemple les valeureux Huidelon et Escorfaut à garder le contrôle de leurs terres et leurs noms après le baptême. Mais surtout, leur attitude envers les Sarrasins change avec le temps : ils les considèrent d'abord comme des ennemis à massacrer sans pitié, puis comme des adversaires avec lesquels on traite, enfin comme des alliés dignes de confiance. La chanson, qui admet la position vacillante de tout idéal, annonce la disparition de « l'esprit des croisades ».

Aimeri de Narbonne

Le poème *Aimeri de Narbonne* (fin du XIIe ou début du XIIIe siècle) est attribué à **Bertrand de Bar-sur-Aube.** Charlemagne revient de Roncevaux en pleurant la mort de Roland et des pairs. Il décide de prendre Narbonne pour la donner à un des compagnons qui lui restent. Seul Aimeri accepte ce fief périlleux. Il s'éprend de la belle Ermengart, sœur du roi des Lombards, et envoie un équipage si somptueux à Pavie que ce dernier accepte le mariage. Aimeri s'attardant en Lombardie, les Sarrasins reprennent Narbonne. Quand Aimeri, revenu sur place, a rejeté à la mer les derniers païens, on lui amène sa fiancée :

« Sur ce pré où vous avez vaincu, vos noces seront belles. »

Et c'est parmi les tentes sarrasines, sur l'herbe ensanglantée, que furent célébrées les épousailles d'Aimeri et Ermengart. De leur union naîtront sept héros dont la France sera « toute fleurie », parmi lesquels le fameux Guillaume d'Orange (voir p. 23 à 27).

La fin de la guerre d'Espagne

Anséis de Carthage (v. 1200) raconte de façon purement fictive la fin de la guerre en Espagne. Après Roncevaux, Charles a soumis toute l'Espagne, mais le roi sarrasin Marsile a fui. Voulant rentrer en France en raison d'invasions saxonnes, Charlemagne confie la terre conquise à Anséis. Celui-ci déshonore la fille du baron Isorés qui, en représailles, s'allie à Marsile. Le poème décrit la guerre qui met aux prises Anséis, Marsile et Isorés, guerre compliquée par l'amour et le mariage d'Anséis avec la belle Gaudisse, fille de Marsile (qui pour lui se fait naturellement chrétienne). La lutte s'achève par l'intervention de Charlemagne, vieux et las, qui pardonne à son vassal la faute qui a mis en danger le royaume, capture et condamne à mort Marsile avant de se retirer à Aix-la-Chapelle, où il meurt.

La guerre contre les Saxons

La *Chanson des Saïsnes* (XIIIe siècle) est l'œuvre de **Jean Bodel***, trouvère et ménestrel d'Arras. La nouvelle de la défaite de Roncevaux décide le Saxon Guiteclin, dont le père a été tué par Pépin (père de Charlemagne), à prendre les armes contre l'empereur. Guiteclin conquiert

Cologne et capture Baudouin, frère de Roland. La belle Sébile, fiancée de Guiteclin, s'éprend de Baudouin et l'épouse quand Charlemagne tue Guiteclin. Baudouin, investi du royaume de Saxe, doit lutter contre la révolte des fils de Guiteclin et est tué, mais la lutte se termine par la défaite des Saxons et le baptême d'un fils de Guiteclin, qui offre son royaume à Charlemagne.

Statue équestre de Charlemagne, IXe siècle, musée du Louvre, Paris.

La reine Sibille

La Reine Sibille (fin du XIIe siècle) et *Macario* (XIVe siècle) relatent les déboires conjugaux de Charlemagne avec sa femme Blanchefleur, sur le thème classique de l'innocente accusée à tort. Le courtisan Macario, éconduit par la reine, prend sa revanche en faisant en sorte que Charlemagne la surprenne au lit avec un nain. Macario pousse l'empereur à exiler l'infidèle. Mais la reine, après avoir surmonté diverses épreuves, est finalement disculpée et reprend triomphalement sa place au côté de son époux.

Le couronnement de Louis

Le Couronnement de Louis (v. 1150) montre les préoccupations de Charlemagne au sujet de sa succession et de son fils Louis le Débonnaire. Cette chanson est également rattachée au cycle de Guillaume d'Orange, car ce dernier était le conseiller et le protecteur de Louis (voir p. 25).

Le cycle de Guillaume d'Orange

La *Geste de Garin de Monglane* narre l'histoire d'une famille féodale dont Garin de Monglane est l'ancêtre et Guillaume d'Orange la figure la plus illustre. Dans cette famille, à chaque génération, les fils sont expédiés de par le monde afin de conquérir eux-mêmes leur place au soleil : la geste exalte l'initiative personnelle mise au service de la gloire et de la famille. Elle se déploie autour de Guillaume d'Orange, personnage capable de tuer un Sarrasin d'un seul coup de poing. Plusieurs des chansons de la geste sont également rattachées au cycle de Charlemagne, puisque Guillaume était l'un des pairs de l'empereur.

Historiquement, Guillaume était le fils de Thierry, de souche mérovingienne, et d'Aude, fille de Charles Martel. Guillaume était donc un cousin de Charlemagne, qui le fit comte de Toulouse. Conseiller de Louis le Débonnaire, fils de l'empereur, Guillaume fut mis à la tête du royaume d'Aquitaine (778). Il dut faire face à une invasion sarrasine et subit une défaite près de Narbonne en 793. Il contribua à la prise de Barcelone en 803, créa une marche d'Espagne et se retira en 806 au monastère de Saint-Guilhem-le-Désert, où il mourut entre 812 et 814.

Toutefois, dans la version épique, Guillaume est l'arrière-petit-fils de Garin de Monglane, le petit-fils d'Hernaut de Beaulande et le fils d'Aimeri de Narbonne (voir p. 22). C'est à Guillaume que Charlemagne, en mourant, remet son épée, lui confiant ainsi la mission de sauvegarder l'idéal des anciens rois de France. Guillaume devient le conseiller de Louis, qu'il sauve à plusieurs reprises. Le roi cependant ne lui donne pas de fief. Alors Guillaume conquiert Nîmes, puis Orange, et épouse par amour une belle Sarrasine. Il continue de combattre les païens jusqu'à la mort de sa compagne, puis fonde un monastère avant de s'éteindre en odeur de sainteté.

Garin de Monglane

Garin de Monglane (XIIIe siècle) est la chanson de geste liminaire du cycle. Les *Enfances Garin de Monglane* en sont une version remaniée du début du XVe siècle. Homme de guerre réputé, fin diplomate et habile stratège, Garin de Monglane est l'un des conseillers les plus écoutés de Charlemagne. Un jour, il a l'audace de mettre l'empereur échec et mat ; après une colère homérique, Charles lui fait don de son jeu d'échecs en pierres précieuses. L'« échiquier de Monglane » constitue encore aujourd'hui un des grands trésors légendaires d'Occident...

Aimeri de Narbonne

Le poème *Aimeri de Narbonne* (fin du XIIe ou début du XIIIe siècle) relate la vie de celui qui est, dans la légende, le père de Guillaume. Il fait également partie du cycle de Charlemagne, où il est détaillé (voir p. 22).

Girart de Vienne

Girart de Vienne (v. 1180) narre les mésaventures des quatre fils de Garin de Monglane, dont Girart. Cette chanson fait également partie du cycle de Charlemagne, où elle est détaillée (voir p. 15).

Le couronnement de Louis

Dans le *Couronnement de Louis* (v. 1150), Charlemagne, sentant sa fin proche, réunit sa cour à Aix-la-Chapelle et demande à Louis s'il souhaite prendre sa relève. Le jeune prince hésite. Arnéis d'Orléans s'offre en qualité de régent, mais Guillaume saisit la couronne et, la posant sur la tête de Louis, jure d'être son soutien et son défenseur. Puis il part à Rome, où il aide le pape à combattre les Sarrasins. Il défait le géant Corsolt sous les murs de la Cité Éternelle et reçoit au nez une blessure qui lui vaudra son surnom de Guillaume « au court nez ». Il retourne auprès de Louis et brise une révolte des vassaux. De nouveau appelé à Rome, il persuade Louis de l'accompagner. Là, il vainc les Allemands et fait couronner Louis roi d'Italie. Puis il revient en France combattre une nouvelle fois les barons, met le roi en sécurité à Laon et lui donne sa sœur Blanchefleur en mariage. Malheureusement, Louis se montre ingrat et le poème s'achève sur une triste prophétie.

Charlemagne et Louis Ier le Pieux, enluminure des *Grandes Chroniques de France*, XIVe siècle, BNF, Paris.

La prise de Nîmes

Le Charroi de Nîmes (XIIe siècle) narre la façon dont Guillaume conquit cette cité. Guillaume refusant de se constituer un fief sur les terres d'un coreligionnaire, le roi Louis lui donne l'Espagne, que Guillaume doit lui-même prendre aux Sarrasins par les armes. Celui-ci recrute sur-le-champ une troupe parmi les jeunes nobles désargentés de la cour. Sur la route de Nîmes, il réquisitionne toutes les charrettes, bœufs et tonneaux à la ronde. Une fois les tonneaux remplis de chevaliers et d'armes, Guillaume, déguisé en marchand, fait son entrée avec le charroi dans Nîmes, qui est aux mains des frères sarrasins Harpin et Otrant. Sur le point d'être reconnu, Guillaume tue Harpin et appelle ses hommes, qui sortent de leurs tonneaux et se ruent sur l'ennemi. Otrant s'enfuit, mais Guillaume l'attrape par le col et le traîne en bas de l'escalier, d'où les Français le jettent par la fenêtre :

Miniature du *Roman de Godefroi de Bouillon*, XIVe siècle, BNF, Paris.

Par une fenêtre ils l'avaient lancé dehors,
Avant qu'il tombât par terre, il fut mort.
Et après lui, ils en jetèrent cent dehors,
Qui ont brisé et les bras et les corps.

Trad. Henrik Prebensen

Tout se termine par une grande fête dans la ville libérée…

La prise d'Orange

La *Prise d'Orange* (XIIIe siècle) raconte comment, après avoir pris Nîmes, Guillaume décide d'enlever Orange aux Sarrasins. Avec deux compagnons, il se déguise en païen et entre dans la ville. Dans la merveilleuse tour de Gloriete, il aperçoit la belle Orable, épouse du roi, et décide de la conquérir. Mais il est reconnu et fait prisonnier. Orable, qui hait son mari et aime Guillaume, le délivre et l'aide à rejoindre l'armée qui arrive en renfort de Nîmes. La ville est prise et Orable, baptisée, prend le nom de Guibourg (ou Guibourc, ou Guibor) avant d'épouser son preux chevalier.

La bataille d'Aliscans

La *Chanson de Guillaume* (1100-1130) est la plus ancienne du cycle. Ses thèmes seront repris à la fin du XIIe siècle dans la *Chevalerie Vivien* et dans *Aliscans.* Le roi païen Deramed, venu de Cordoue, dévaste la plaine d'Aliscans. Vivien (neveu de Guillaume), Thibaut de Bourges et quelques autres affrontent les troupes païennes mais les choses tournent mal :

> Vivien, à pied, erre sur le champ de bataille ;
> son heaume lui tombe sur le nasal qui protège son visage,
> et entre ses pieds traînent ses entrailles ;
> il les retient de son bras gauche,
> et dans sa main droite il tient une lame d'acier :
> elle était toute vermeille jusqu'à la garde. [...]
> À haute voix, il supplie Jésus le tout-puissant
> de lui envoyer Guillaume le noble combattant,
> ou bien Louis, le puissant roi guerrier.
>
> *Trad. Duncan McMillan*

Guillaume arrive trop tard pour sauver Vivien, qui meurt dans ses bras. Désespéré, il revient chez lui et la fière Guibourg, sa femme, rassemble une nouvelle armée qui n'aura pas plus de succès que la première. Lorsque Guillaume rentre à Orange, Guibourg a du mal à le reconnaître. Finalement elle l'accueille et l'encourage à aller solliciter l'aide du roi Louis. Guillaume obtient très difficilement une armée et, indigné, repart combattre pour la troisième fois. Il triomphe grâce au géant Rainouart qui l'accompagne, et dont les exploits occupent le dernier tiers du poème. Cette chanson, quoiqu'un peu grossière, offre des scènes d'une réelle puissance épique. Comme dans toutes les plus anciennes chansons de geste, les personnages sont agités de passions extrêmes, sans nuances ni demi-teintes.

Guillaume se fait moine

Le *Moniage Guillaume* (XIIe siècle) raconte comment, à la fin de sa vie, Guillaume se retire dans un monastère. Les moines cherchent à se débarrasser de lui en lui confiant une mission périlleuse : affronter des brigands au cœur d'une forêt. Guillaume est victorieux et les moines, effrayés par sa force, l'accueillent. Puis Guillaume, sur l'ordre de Dieu, se rend à Gellone où il répare la chapelle avec les habitants, fondant ainsi le monastère de Saint-Guilhem-le-Désert. Il s'établit dans une place forte à quelque distance pour empêcher toute incursion de Sarrasins. Une rédaction ultérieure de la chanson s'achève sur la mort de Guillaume, « dont l'âme alla au Paradis ».

Le cycle comporte également des chansons sur les frères de Guillaume (*Les Narbonnais, Le Siège de Barbastre, Guibert d'Andrenas, La Prise de Cordres, Beuves de Comarchis*), sur le frère de Guibourg (*Bataille Loquifer, Moniage Rainouart, Renier de Gênes*), sur Vivien, neveu de Guillaume (*Enfances Vivien, Chevalerie Vivien*) et sur Foulque, neveu de Vivien (*Herbert le duc de Dammartin, Foulque de Candi*), toutes composées au XIIIe siècle.

Le cycle de Godefroi de Bouillon

Le siège de Jérusalem, miniature du XIVe siècle, BNF, Paris.

La *Geste de la Croisade* célèbre l'origine et la famille de Godefroi de Bouillon (v. 1058-1100), héros de la Ire croisade. Celui-ci combattit pour l'empereur Henri IV, puis vendit son duché de Bouillon, partit pour la Palestine en 1096 et prit la tête de la croisade. Il s'empara de Nicée, vainquit les Turcs à Dorylée, assiégea Antioche et prit enfin Jérusalem (1099). Les chansons qui content sa légende sont parvenues à nous par le remaniement qu'en a fait **Graindor de Douai** à la fin du XIIe siècle, en remplaçant les assonances par une forme rimée. Aux chansons les plus anciennes furent ajoutés des récits consacrés aux origines de la famille et au début de la carrière de Godefroi – la *Naissance du Chevalier au Cygne*, *Le Chevalier au Cygne*, la *Fin d'Élias*, les *Enfances Godefroi* et le *Retour de Cornumaran* –, et des continuateurs prolongèrent la *Chanson de Jérusalem* jusqu'à la mort de Godefroi, puis retracèrent le règne de son frère et de ses descendants.

Le chevalier au cygne

Le Chevalier au Cygne (XIIe siècle) est le poème majeur du cycle. Lothaire, roi de Hongrie, épouse Élioxe qui lui donne six fils et une fille ; mais leur aïeule, hostile à Élioxe, transforme les garçons en cygnes. Grâce à l'intervention de leur sœur, cinq peuvent reprendre forme humaine. L'aîné, Hélias,

Roman du Chevalier au Cygne, v. 1260, BNF, Paris.

s'embarque sur une nacelle conduite par son frère le cygne. Arrivé à Nimègue, le « chevalier au cygne » rend justice à une dame de Bouillon et épouse sa fille Béatrice, à condition qu'elle ne l'interroge jamais sur ses origines. Au bout de huit ans de mariage, Béatrice cède à la curiosité et son époux, qui ne peut dès lors plus demeurer avec elle, repart sur la nacelle conduite par le cygne… La légende du chevalier au cygne eut un grand succès au Moyen Âge, surtout en Allemagne où elle inspira celle de *Lohengrin.*

L'expédition d'Antioche

La *Chanson d'Antioche* (1130), de **Richard le Pèlerin**, est d'une haute qualité littéraire et historique. Elle raconte l'odyssée malheureuse de Pierre l'Ermite en Orient, puis l'héroïque expédition de Godefroi de Bouillon jusqu'à l'arrivée des chrétiens en Palestine. Parmi ses compagnons, dont la sagesse est souvent vantée, se trouvent son frère Baudouin, Tancrède et d'autres valeureux combattants.

Les chevaliers chétifs

Dans la *Chanson des Chétifs* (XIIe siècle) apparaissent six chevaliers, seuls survivants de l'armée de Guillaume IX de Poitiers, le grand seigneur et trouvère provençal qui était parti à la suite de Pierre l'Ermite. L'expédition ayant échoué, les chevaliers parviennent à rejoindre la Palestine après avoir combattu dragons, serpents et chimères…

La prise de Jérusalem

La *Chanson de Jérusalem* (ap. 1130), sans doute de **Richard le Pèlerin**, est le récit historique de la conquête de la Ville sainte, mêlé d'épisodes imaginaires et romanesques. Enfin en vue de Jérusalem, excités par les paroles de Pierre l'Ermite, les croisés attaquent les païens… Le poème raconte le siège de la ville, saint Georges et une cohorte d'anges et de saints s'étant jetés dans la mêlée aux côtés des chrétiens…

Le cycle des révoltés

Dans la *Geste de Doon de Mayence*, les différents héros, tous apparentés à Doon de Mayence, sont des vassaux amenés à prendre les armes contre leur suzerain pour réparer un tort subi ou venger une offense. Il s'ensuit des luttes forcenées qui se terminent par des actes d'humilité et de contrition.

Girart de Roussillon

Le héros de *Girart de Roussillon* (seconde moitié du XIIe siècle) est le même que celui de la chanson *Girart de Vienne* (voir p. 15), mais il est cette fois opposé au roi Charles Martel, au VIIIe siècle. En réalité ce Girart a bien existé, mais sous le règne de Charles le Chauve, au IXe siècle. Gouverneur du Viennois, il administra la Provence et fonda avec sa femme Berthe le monastère de Vézelay. Dans la chanson, ce puissant seigneur bourguignon entre en guerre à plusieurs reprises contre Charles Martel, qui lui a pris sa fiancée et son château de Roussillon. Vaincu, il préfère se cacher pendant vingt-deux ans plutôt que de se rendre. Finalement, il se soumet et se consacre à des œuvres pies.

Renaud de Montauban

Les Quatre Fils Aymon ou *Renaud de Montauban* (XIIIe siècle) évoque les mésaventures de Renaud et de ses frères, poursuivis pendant des années par le courroux de Charlemagne. La chanson fait également partie du cycle carolingien, où elle est détaillée (voir p. 16).

Ogier le Danois

La *Chevalerie d'Ogier de Danemarche* (fin du XIe siècle), de **Raimbert de Paris**, a été refaite en alexandrins au XIIIe siècle ; du premier chant, Adenet le Roi forma les *Enfances Ogier* (1270). Le fils de Charlemagne, Callot, ayant tué le fils d'Ogier, ce dernier entre en guerre contre l'empereur. Allié à Didier, roi de Lombardie, il est assiégé pendant sept ans en Toscane, puis fait prisonnier et enfermé à Reims. L'archevêque Turpin, pris de pitié, le secourt. Croyant Ogier mort, les Sarrasins envahissent la France et Charlemagne est contraint par ses barons de demander à Ogier de l'aider.

Celui-ci exige en échange la tête de Callot, que l'empereur accepte de sacrifier pour le salut de la France. Mais alors qu'Ogier lève son épée sur lui, saint Michel descend du ciel pour l'en empêcher…

Raoul de Cambrai

Le texte existant de *Raoul de Cambrai* (fin du XIIe siècle) est un remaniement d'un récit composé au Xe siècle par le trouvère **Bertholais de Laon.** Cette vaste épopée meurtrière raconte l'histoire d'une rivalité familiale pour la possession du Vermandois et montre les ravages causés par les guerres privées des chefs féodaux. À la mort d'Herbert de Vermandois, Raoul (qui a été dépossédé de son fief alors qu'il était enfant) exige cette terre, bien que le comte ait quatre fils. Le roi refuse, et la guerre se déchaîne…

Hommage d'un vassal à son suzerain. *Les Grandes Chroniques de France*, v. 1420, BNF, Paris.

Isembart

Gormond et Isembart (1085-1100), poème le plus important du cycle, raconte la geste d'Isembart, neveu du roi Louis. Contraint de s'exiler après avoir tenu tête au roi, Isembart se réfugie chez le roi sarrasin Gormond. Il abjure sa foi et mène au côté de Gormond une guerre sans merci contre Louis. Détesté à la fois par les Français, qui voient en lui un renégat, et par les Sarrasins, qui lui reprochent de les avoir conduits au désastre, Isembart est en revanche entouré de la sympathie et de la compassion du poète. Il meurt sur le champ de bataille en implorant le pardon de la Vierge, tandis que le preux Gormond succombe sous les coups de Louis.

La « matière de Bretagne »

La « matière de Bretagne » est le nom donné à l'ensemble des textes écrits au Moyen Âge autour des légendes de l'île de Bretagne (la Grande-Bretagne) et de la « petite Bretagne » (la nôtre). Elle représente la tradition celtique, par opposition à la tradition carolingienne de la « matière de France » et aux traditions latines et antiques de la « matière de Rome ».

La légende du roi Arthur

Arthur tire l'épée du roc et est proclamé roi, miniature d'une compilation du *Saint Graal*, XIIIe siècle, BNF, Paris.

La version de Wace

Le *Roman de Brut* (1155) est un long poème composé par **Robert Wace*** (v. 1110-1180), trouvère anglo-normand de la cour d'Henri II Plantagenêt qui était à la fin de sa vie chanoine de Bayeux. C'est une histoire légendaire des Bretons largement inspirée de l'*Historia regum britanniae* de Geoffroy de Monmouth, dans laquelle Wace narre la mythique histoire du roi Arthur et des chevaliers de la Table Ronde. Chrétien de Troyes s'en inspira à son tour pour développer le cycle du Graal (voir le roman courtois, p. 40).

En réalité, le *Roman de Brut* est une œuvre de propagande destinée à asseoir la légitimité des Plantagenêts en faisant remonter l'histoire de l'île de Bretagne à Brutus de Troie (« Brut »), petit-fils d'Énée qui serait l'ancêtre des Bretons. Dans le roman, Merlin l'Enchanteur suggère une communauté d'intérêts entre Normands et Bretons contre les Saxons, qui rechignent à accepter la domination normande ; ce faisant, il permet à Henri II de se réapproprier la légende arthurienne et de se présenter comme son héritier. Ce roman, premier texte français dont le sujet soit breton, est dédié à Aliénor d'Aquitaine, qui fut reine de France puis d'Angleterre.

Wace est le premier à faire mention de la Table Ronde, autour de laquelle le roi Arthur faisait asseoir ses guerriers :

> tous honorablement et de manière tous égale.
> Aucun d'entre eux ne pouvait se targuer d'être assis
> plus haut que ses pairs.

Tour Vortigern. *Roman de Brut*, XIVe siècle, British Library, Londres.

Wace pourtant ne croit pas à la véracité historique de l'histoire de la Table Ronde, « dont les Bretons disent maintes fables ». Il donne le nom d'Excalibur à l'épée d'Arthur et associe la chevalerie chrétienne à certaines traditions celtiques, donnant naissance aux chevaliers de la Table Ronde. Entouré de ses chevaliers et d'une cour raffinée, le roi celte Arthur incarne la résistance des Bretons face aux envahisseurs saxons au VIe siècle. Réel et imaginaire sont mêlés pour conter prouesses guerrières, passions amoureuses et quête mystique du Graal, sur fond omniprésent de l'au-delà.

La version de Layamon

Le *Roman de Brut*, remanié, a donné naissance à un poème intitulé *Brut* (v. 1200), composé par le prêtre **Layamon**. Il prend ouvertement parti pour les Bretons contre les envahisseurs saxons et enrichit la légende d'Arthur de détails fantastiques. Il décrit ainsi les dernières paroles d'Arthur expirant :

> « Je veux m'en aller en Avalon, chez la plus belle de toutes :
> la reine Argante, qui pansera mes plaies. Puis je rentrerai dans mon royaume ;
> et je vivrai avec mes Bretons en grand déduit de cœur. »

À l'instant même apparaît un petit esquif occupé par « deux femmes merveilleusement parées » qui s'emparent d'Arthur et s'en retournent avec lui. Ainsi s'accomplit la prophétie de Merlin.

Dans le *Brut* de Layamon sont pour la première fois contées les légendes du roi Lear et de Cymbeline, qui ont inspiré Shakespeare. Mais le poète a une prédilection marquée pour les descriptions de batailles, les scènes de meurtre et de violence…

L'histoire des ducs de Normandie

Henri II Plantagenêt.
British Library, Londres.

Le *Roman de Rou* de **Robert Wace*** est une épopée en vers octosyllabiques sur les ducs de Normandie. Cette longue chronique raconte l'histoire de la Normandie depuis Rollon (« Rou ») jusqu'à la conquête de l'Angleterre par les Normands et la bataille de Tinchebray (1106), qui oppose Robert, le fils aîné de Guillaume le Conquérant déchu de ses droits à la couronne, à son frère Henri, qui devait reconstituer l'unité du patrimoine paternel. La dynastie des Plantagenêts venait de succéder à celle fondée par Guillaume. Elle possédait d'immenses territoires en France grâce à l'héritage d'Aliénor d'Aquitaine, à laquelle le *Roman de Rou* est dédié. Contrairement aux chansons de geste du temps, ce roman est didactique et utilitaire, ayant pour tâche d'instruire et d'unifier. Wace se préoccupe surtout d'exactitude et son récit, minutieux et précis, ne sacrifie pas à l'expression poétique.

À la demande d'Henri II Plantagenêt, une *Chronique des ducs de Normandie* fut également écrite par « maistre Beneeit », probablement le **Benoît de Sainte-More** auteur du *Roman de Troie* (voir p. 36).

La « matière antique »

Autour de Charlemagne, on cultivait assidûment les auteurs latins et grecs – c'est pourquoi on a parlé de « Renaissance carolingienne ». Mais les textes antiques ne sont pas oubliés par la suite. Les manuscrits sont recopiés siècle après siècle, et surtout ils sont traduits. De nombreux romans français renouvellent « à la médiévale » les légendes historiques de l'Antiquité. Des clercs composent des chansons de geste en utilisant la matière antique, et ces chansons exercent une grande influence et suscitent des imitations, des remaniements en prose et des traductions dans tous les pays occidentaux. Les anachronismes sont de règle, ces textes n'ont rien d'historique. Leurs auteurs ne s'intéressent plus seulement aux prouesses guerrières, mais se penchent sur toutes les formes de la connaissance. Les récits fourmillent de détails pittoresques, le merveilleux est plus riche et plus varié que celui des générations épiques précédentes, et l'analyse sentimentale s'affine, annonçant la littérature courtoise.

La reprise des épopées grecques

La guerre de Thèbes

Le *Roman de Thèbes* (v. 1150), poème anonyme de langue poitevine, est composé d'octosyllabes à rimes plates. Inspiré de la *Thébaïde* de Stace, il adapte très librement le combat fratricide des fils d'Œdipe. Une introduction d'un millier de vers raconte l'histoire d'Œdipe. S'ensuit un long récit de la guerre des Sept contre Étéocle. Le monde gréco-romain est transformé en monde féodal, chevaleresque et ecclésiastique. D'innombrables batailles y sont décrites, ainsi que les félonies, les assemblées et les procès féodaux.

Miniature du *Roman de Thèbes*, XIVe siècle, BNF, Paris.

Si le seigneur Homère et le seigneur Platon
Et Virgile et Cicéron
Avaient dissimulé leur sagesse,
On n'en aurait jamais plus parlé.
Pour cette raison je ne veux pas taire ma science,
Ni étouffer ma sagesse,
Mais je me complais à raconter
Des choses dignes d'être gardées en mémoire.
Que se taisent maintenant à ce sujet
Tous ceux qui ne sont pas clercs ou chevaliers,
Car ils sont aussi capables d'écouter

Œdipe aveugle, Jocaste se tue.
Enluminure d'un manuscrit de 1403,
BNF, Paris.

Que des ânes de harper [jouer de la harpe].
Je ne vais pas parler de pelletiers,
Ni de bouchers ni de vilains,
Mais je parlerai de deux frères,
Et je raconterai leur geste.
L'un s'appela Étéocle
Et l'autre eut nom Polynice.
Le roi Œdipe les engendra
Dans la reine Jocaste.
Il les eut de sa mère, tout à fait à tort,
Après avoir tué son père le roi.
À cause du péché dans lequel ils furent créés
Ils furent félons et pleins de folie ;
Ils détruisirent Thèbes, leur cité,
Et mirent à mal tout leur royaume.

Prologue, trad. Anne Berthelot

L'épopée d'Énée

La légende troyenne, transmise à travers l'*Énéide* de Virgile et les auteurs latins Dictys le Crétois et Darès le Phrygien, est un des grands thèmes de la littérature romanesque du Moyen Âge. Dans le *Roman d'Énéas* (v. 1156), poème de 10 000 octosyllabes rédigé en dialecte normand, l'ordre de l'action est légèrement changé par rapport à l'*Énéide.* Mais surtout l'auteur s'intéresse à la naissance et aux manifestations de l'amour entre ses personnages, ce qui fait d'*Énéas* une œuvre de transition entre les littératures épique et courtoise. Le roman narre les épreuves du Troyen Énée, ancêtre mythique du peuple romain, fils d'Anchise et de la déesse Vénus, depuis la prise de Troie jusqu'à son installation dans le Latium. Il conquiert l'Italie sur Turnus, le fiancé de Lavinia, et consacre sa victoire en épousant celle-ci. De leur mariage naîtra la ville de Rome. Les amours d'Énée avec Didon, reine de Carthage, sont en revanche jugés sévèrement par le poète.

La guerre de Troie

Le *Roman de Troie,* poème d'environ 30 000 octosyllabes rimés en dialecte tourangeau, a été composé vers 1165 par **Benoît de Sainte-More** et dédié à Aliénor d'Aquitaine. Il raconte l'histoire fabuleuse de Troie en commençant par l'entreprise des Argonautes et la première destruction d'Illion. Il décrit la renaissance de la ville, le siège et le départ de l'armée grecque en détaillant le sort des différents héros, à commencer par Ulysse. L'auteur accorde une attention particulière aux passions amoureuses, qu'il invente pour la plupart. Le *Roman de Troie* connut un succès triomphal au Moyen Âge et a donné lieu à un nombre considérable de variations dans toutes les langues d'Occident.

La légende d'Alexandre le Grand

Après la trilogie de *Thèbes*, *Énéas* et *Troie*, le rythme des « grandes traductions » se ralentit. Mais la fascination pour l'Orient reste entière. Ainsi, les biographies romancées d'Alexandre le Grand eurent un très grand succès dans toute l'Europe au Moyen Âge. Le plus ancien document connu est un poème franco-provençal sur la jeunesse d'Alexandre, composé par **Alberich de Pisançon** à la fin du XIe siècle. Son œuvre fut reprise en Poitou par un anonyme, dont la version fut à son tour reprise et remaniée ultérieurement par divers auteurs. L'ensemble fut amalgamé dans le *Roman d'Alexandre* (v. 1170-1180), vaste récit picard en alexandrins, par **Alexandre de Bernay**. Le tableau complet de l'existence d'Alexandre offre au public des récits fantaisistes et merveilleux, pleins de prodiges, de visions de trésors d'une splendeur inouïe, de phénomènes naturels extraordinaires, de pays étranges, de sirènes, d'explorations de fonds marins, d'ascensions vers le ciel… Invincible guerrier aux incessants voyages, généreux, Alexandre est décrit comme curieux de toute connaissance et particulièrement des sciences occultes.

Roman d'Alexandre, copie de 1536, BNF, Paris.

Au XIIe siècle, **Gauthier de Châtillon** fait de la geste d'Alexandre un poème épique particulièrement réussi, l'*Alexandréide*, qui a tant de succès qu'il remplace souvent dans les écoles la lecture de l'*Énéide*. En 1317, le *Roman de Perceforest* va plus loin : l'auteur de ce roman-fleuve de 7 000 pages remonte jusqu'à l'Antiquité et fait d'Alexandre l'ancêtre direct du roi Arthur et le fondateur de la Table Ronde… !

Les Neuf Preux et les Neuf Preuses

C'est dans le roman en vers *Les Vœux du Paon* (v. 1312) de **Jacques de Longuyon** – auteur lorrain attaché à la cour de Thibaut de Bar – qu'apparaît le thème des Neuf Preux. Ce sont trois païens de l'Antiquité (Hector de Troie, Alexandre le Grand et Jules César), trois juifs de l'Ancien Testament (Josué, Judas Maccabée et David) et trois chrétiens du Moyen Âge (Charlemagne, Godefroi de Bouillon et Arthur). L'œuvre, traduite et imitée dans toute l'Europe, connaît une vogue immense pendant près de trois siècles. Les Neuf Preux suscitent une abondante iconographie : ils sont présents jusqu'à la fin du XVIe siècle sur les tapisseries, les peintures murales, les gravures et les cartes à jouer – Charlemagne est le roi de cœur, César le roi de carreau, David le roi de pique, Alexandre le roi de trèfle, Hector le valet de carreau, etc.

Quelques décennies plus tard apparaissent leur pendant féminin, les Neuf Preuses, issues de l'Antiquité païenne : Sémiramis (reine de Babylone), Sinope, Hippolyte, Ménalippe, Lampeto et Penthésilée (reines des Amazones), Tomyris (reine des Massagètes), Teuca (reine d'Illyrie qui a combattu Rome) et Déiphyle (reine d'Argos qui a vaincu Thèbes). Leur créateur est sans doute **Jehan Le Fèvre***, officier au Parlement de Paris, qui compose entre 1373 et 1387 le *Livre de Lëesce*. Dame Lëesce prend la parole pour défendre les femmes contre les auteurs misogynes et leur oppose « les preudes femmes », fières et autonomes, plus audacieuses, courageuses et vertueuses que les hommes…

Penthésilée, reine des Amazones. Ses armoiries sont un cygne blanc, symbole de pureté. *Petit armorial équestre de la Toison d'Or*, v. 1460, BNF, Paris.

La littérature courtoise

Le terme de « courtoisie » désigne, du XIIe au XIVe siècle, une attitude morale propre à la noblesse de cour, sous le signe de l'élitisme et la volonté de se poser comme modèle de civilisation. Dès le XIe siècle, dans la *Chanson de Roland* (voir p. 19), l'adjectif *curteis* (courtois) désigne la qualité aristocratique et le courage du chevalier. Le sens de courtoisie est donc social et moral, renvoyant à la fois à un milieu particulier, la noblesse, et aux qualités propres d'un individu.

« Le dialogue du trouvère et de la demoiselle sous l'arbre d'amour », miniature du XIIIe siècle, Minnesinger, bibliothèque de Heidelberg.

Ce nouvel art de vivre, qui implique raffinement, générosité et loyauté, donne une place d'honneur à la femme, jusqu'ici assez méprisée et complètement soumise à son mari. L'évolution du statut de la femme dans la société féodale est sans doute favorisée par le culte de plus en plus fervent pour la Vierge Marie. Désormais, l'amour est revalorisé et la Dame, épouse du châtelain, devient le centre vital de la cour, s'érigeant en suzeraine de celui qui l'aime : c'est la *domna* des troubadours, du latin *domina*, la maîtresse. Cet art d'aimer prend le nom d'amour courtois ou *fin'amor*, au sens de relation délicate et noble, mais aussi parfaite, qui achève un long travail sur soi des partenaires. L'amour étant la source de toute vertu et de toute prouesse, le chevalier se met au service exclusif de sa Dame et lui témoigne son adoration à l'aide d'exploits qui seront autant d'hommages. La Dame, de son côté, lui accorde sa protection, comme tout seigneur à son vassal. L'amour courtois est ainsi l'aboutissement d'une conquête sur soi, menant le chevalier, à travers son amour pour sa Dame, à la découverte de ses qualités profondes.

Le roman courtois

Chanté par les troubadours en langue d'oc (dans le sud de la France) et les trouvères en langue d'oïl (en Normandie, Île-de-France, Champagne), l'amour courtois va inspirer les romanciers qui, mêlant accomplissements guerriers, passion amoureuse et mysticisme, vont enflammer les imaginations et être à l'origine de nombreux mythes encore vivants aujourd'hui.

Le cycle du Graal

Chrétien de Troyes* est l'auteur de chansons courtoises et de cinq romans : *Érec et Énide* (v. 1165), *Cligès*, d'inspiration antique (v. 1176), *Yvain ou le Chevalier au lion* et *Lancelot ou le Chevalier à la charrette*, rédigés conjointement entre 1177 et 1181, et enfin *Perceval ou le Conte du Graal*, commencé vers 1181 et laissé inachevé à sa mort vers 1190. De Chrétien de Troyes, comme la plupart des auteurs du Moyen Âge, on a peu d'éléments biographiques, si ce n'est grâce aux œuvres elles-mêmes. C'est ainsi qu'on a mention de son nom dans le prologue d'*Érec et Énide* :

Le vilain dit en son proverbe :
chose que l'on dédaigne vaut bien
mieux qu'on ne le croit.
Aussi faut-il approuver celui qui
s'applique à faire œuvre sage,
quelle que soit son intelligence,
car qui néglige cette tâche
risque fort de passer sous silence
chose qui plus tard viendrait
à beaucoup plaire.
C'est pourquoi Chrétien de Troyes
affirme que tout homme,
s'il veut être raisonnable,
doit à tout moment penser et
s'appliquer à bien dire et enseigner ;
et il tire d'un conte d'aventure une fort
belle composition : par elle, on a la
preuve et certitude que n'est pas sage
qui ne diffuse pas sa science.
[...]
Maintenant, je peux commencer
l'histoire qui à tout jamais
restera en mémoire,
autant que durera la chrétienté.
Voilà de quoi Chrétien s'est vanté.

Trad. Jean-Marie Fritz

D'après ce nom, on pense qu'il était originaire de Troyes en Champagne. Né vers 1135, il a dû recevoir la formation de clerc, c'est-à-dire un cycle d'études littéraires (*trivium*) puis scientifiques (*quadrivium*) qui font de lui un lettré, lisant le latin. Ensuite, il aurait vécu à la cour de Champagne, chez le comte Henri le Libéral et sa femme Marie de France, à qui il dédie *Le Chevalier à la charrette*. Puis, à partir de 1181, il aurait séjourné à la cour de Philippe, comte de Flandre, pour qui il écrit son *Perceval*.

Merlin et Arthur. Miniature de l'*Histoire de Merlin*, XIVe siècle, Bodleian Library, Oxford.

La plupart de ses romans s'inspirent de la matière de Bretagne et se situent à la cour du roi Arthur. Par rapport à Wace (voir p. 32), l'originalité de Chrétien de Troyes réside dans son utilisation de l'espace et du temps. C'est comme s'il avait dilaté un moment du règne d'Arthur, la période de paix pendant laquelle sont réunis à la cour le roi et ses chevaliers, pour en faire le cadre de ses romans.

Au guerrier, au conquérant que présente Wace, Chrétien substitue un roi dont la fonction essentielle est de maintenir la chevalerie, c'est-à-dire de présider à la cohésion du groupe autour de la Table Ronde. C'est pourquoi les textes commencent par la même scène originelle : la réunion de la cour un jour de fête. Puis, dans chaque ouvrage, un des chevaliers, élu, part à l'aventure et son cheminement fait l'objet de nombreuses mises à l'épreuve, qui sollicitent sa vaillance et lui permettent de conquérir sa Dame. Mais l'aventure le mène aussi à la connaissance de soi : conquête guerrière et quête mystique se répondent, comme le symbolise si bien le Saint-Graal, que Perceval pourra presque toucher…

Érec et Énide

Érec et Énide (v. 1165) commence lors de la fête de Pâques. Érec, frappé au visage par le nain Ydier, doit répondre à cet affront et part à la poursuite d'Ydier. Au terme d'un combat singulier dont il sort victorieux, il fait la connaissance de la fille du vavasseur, Énide, et décide de la présenter au roi.

> Pour aucune rançon, ils ne seraient privés de se regarder l'un l'autre.
> Ils étaient égaux et pairs en courtoisie, en beauté, en générosité.

Ensuite les deux époux se rendent à Lac, dans le royaume du père d'Érec qui, accaparé par son amour, en oublie ses devoirs de chevalier. Énide, pour éviter que son mari ne soit traité de *recreant*, décide de l'accompagner dans ses combats. Services de cœur et de cour sont ainsi intimement liés et tout à fait compatibles, ce qui ne sera pas le cas dans *Yvain*.

Yvain ou le Chevalier au lion

Le roman *Yvain* (v. 1180) commence lors de la fête de la Pentecôte par le récit de Calogrenant : au cœur de la forêt de Brocéliande, il aurait été victime d'un chevalier protecteur d'une fontaine magique. Yvain décide de s'y rendre pour défier le chevalier, Esclados le Roux. Il le poursuit jusqu'à son château, où il finit par le tuer. Blessé, Yvain est soigné par Lunette, la servante, qui lui donne un anneau d'invisibilité pour le protéger. Il tombe amoureux de la veuve de son ennemi, Laudine, et l'épouse. Désormais protecteur de la fontaine, il bat Keu en combat singulier et invite Arthur et sa cour chez lui. Gauvain lui reproche de négliger ses devoirs de chevalier et lui fait miroiter les plaisirs des tournois. Yvain obtient de sa Dame un congé d'un an pour mener ses aventures : au bout de ce terme, il perdrait son amour.

Yvain le chevalier au lion combattant un dragon. Miniature du *Roman de Lancelot*, XVe siècle, bibliothèque de l'Arsenal, Paris.

Entraîné dans les tournois, Yvain dépasse le délai imparti et se voit répudié par sa Dame. Le malheureux sombre alors dans la folie et doit accomplir une nouvelle série d'épreuves pour reconquérir l'amour de Laudine. En chemin, il tombe sur un combat entre un serpent (dragon) et un lion. Après quelque hésitation, il décide de venir en aide au lion qui, en échange, lui vouera une grande fidélité (d'où le sous-titre de l'œuvre) et l'aidera dans ses autres combats, notamment contre le géant Harpin. Les deux époux finissent par se réconcilier :

« Dame, on doit avoir pitié du pécheur. J'ai payé cher mon manque de sagesse et à juste titre. C'est la folie qui me fit m'attarder, et je me reconnais coupable et digne d'être puni. J'ai montré un excès d'audace en osant me présenter devant vous, mais si vous voulez maintenant me retenir, jamais je ne commettrai plus la même faute à votre égard.
– Assurément, dit-elle, je le veux bien, car je serais parjure si je n'employais pas tout mon pouvoir pour conclure la paix entre vous et moi. »

Trad. David F. Hult

Lancelot ou le Chevalier à la charrette

Le roman *Lancelot* (v. 1180), concomitant d'*Yvain*, s'ouvre sur l'enlèvement de la reine Guenièvre, le jour de l'Ascension, par Méléagant. Gauvain, le neveu du roi, part à sa poursuite et rencontre en chemin un mystérieux chevalier, déjà entré en quête, qui n'hésite pas à monter dans la charrette des condamnés pour se cacher. S'ensuivent une série d'épreuves qui ne cessent de montrer la bravoure du chevalier : il traverse le Gué défendu, franchit le Passage des pierres, tranche la tête de l'Orgueilleux... jusqu'au combat final qui l'oppose à Méléagant. Mais entre-temps, alors qu'on l'a cru mort et que lui-même a cru la reine morte, s'est produite la merveille : la nuit d'amour entre la reine et Lancelot, un des adultères les plus connus de la légende arthurienne...

Lancelot voit à présent tous ses vœux comblés, puisque la reine se plaît à avoir l'agrément de sa compagnie, puisqu'il la tient entre ses bras et elle entre les siens. Dans les baisers et les étreintes il trouve au jeu un si doux bonheur que, sans mentir, il leur advint une joie d'une telle merveille que d'une pareille encore on n'entendit jamais parler. Mais je garderai le silence sur elle, car sa place n'est pas dans le récit !

Trad. Charles Méla

Grâce à la complicité de Galehaut, Lancelot embrasse Guenièvre pour la première fois. Manuscrit français du XVᵉ siècle, Bodleian Library, Oxford.

Perceval ou le Conte du Graal

Le dernier roman, *Perceval* (apr. 1181), introduit le motif nouveau du Graal – dont on ignore encore la nature – et le met en relation avec le monde d'Arthur par l'intermédiaire d'un chevalier jusqu'alors inconnu, Perceval le Gallois. Il prend vraiment la forme d'un roman initiatique : le jeune garçon, qui ignore encore sa véritable identité, est gardé par sa mère désireuse de le protéger de la carrière de chevalier. Mais un jour, quand il rencontre dans la forêt cinq chevaliers tout armés, c'est pour lui un véritable éblouissement et il décide de les suivre à la cour du roi.

Après s'être initié à l'amour auprès de la belle Blanchefleur, il est arrêté par une rivière infranchissable. Deux pêcheurs le font passer et lui proposent de l'héberger dans un mystérieux château. Là, pendant le repas, un cortège singulier passe devant lui : un jeune homme tenant une lance tachée de sang, une jeune fille portant un Graal... Mais Perceval, respectant la réserve d'un preux chevalier, ne pose pas de question... Il ne saura que plus tard qu'il se trouvait face au Roi Pêcheur et que le secret du Graal était à portée de main... Pendant cinq ans, Perceval, tout à ses exploits chevaleresques, en a oublié Dieu et la fin du récit de Chrétien de Troyes s'intéresse à Gauvain, laissant le mystère du Graal entier. Ce roman constitue l'exemple même d'un texte ouvert, appelant les continuateurs en raison même de son inachèvement.

Perceval à la Recluserie.
Enluminure de 1484, BNF, Paris.

Merlin

Au tournant du XIIe siècle, un certain **Robert de Boron** compose, toujours en vers, une sorte de prologue au *Conte du Graal* qui en donne une interprétation résolument chrétienne. Ce chevalier-clerc attaché au service de Gautier de Montbéliard a consacré plusieurs romans au monde arthurien. Nous en connaissons au moins trois par fragments : *L'Histoire du Graal ou Joseph d'Arimathie*, le *Roman de l'histoire du Graal* et le *Roman de Merlin* (fin du XIIe siècle). Ce dernier établit le lien entre les temps bibliques et l'univers arthurien : on s'y réfère sans cesse au Christ et à l'Église, au péché et au salut. Ainsi, par exemple, la Table Ronde serait la reproduction de la Cène, et le Siège Périlleux renverrait à la trahison de Judas. Le temps y est rythmé par les fêtes religieuses. En voici le début :

Le Diable entra dans une violente colère quand il apprit que Notre-Seigneur était descendu en Enfer pour en libérer Adam et Ève ainsi que tous ceux qu'il

voulait sauver. Alors tous les démons
se rassemblèrent. [...]
« Si nous disposions d'un homme
doué, comme nous, du pouvoir de
connaître tout ce qui s'est fait et dit
dans le passé et qui vivrait parmi les
hommes, sur la terre, il pourrait nous
aider à les tromper. » [...]
C'est ainsi que le Diable entreprit
de créer un être qui aurait sa mémoire
et son intelligence pour se jouer
de Jésus-Christ.
Alors le Diable vint rôder autour
d'une jeune fille...

Trad. Alexandra Micha

L'assemblée des démons décidant de la naissance de Merlin et, au-dessous, sa conception : un démon déshonorant une jeune fille pendant son sommeil. *L'Histoire de Merlin*, XIIe siècle, BNF, Paris.

De cette union surnaturelle naît Merlin, dont on trouvait déjà la trace dans le *Roman de Brut* de Wace (voir p. 32), principale source du *Merlin* de Boron. Mais l'œuvre de Boron est la première en langue vulgaire à être centrée sur Merlin. Celui-ci, on le sait, joue un rôle essentiel dans l'accession au pouvoir d'Arthur, puis disparaît après le couronnement, car cette accession au trône marque le dénouement heureux du roman. Les amours de Merlin et Viviane ne figurent pas dans l'œuvre de Boron mais sont une création de ses continuateurs. Depuis, le personnage n'a cessé de réapparaître dans différentes versions de la légende arthurienne, tantôt comme prophète, tantôt comme magicien. Au XXe siècle, il a inspiré des écrivains comme Apollinaire**, Cocteau**, Barjavel**, et figure dans tous les films où apparaît Arthur.

Le passage du vers à la prose

Les romans en vers ne réussissent qu'imparfaitement à résoudre l'énigme du Graal. Au XIIIe siècle se produit alors une mutation d'une grande portée : l'octosyllabe à rimes plates va laisser place à la prose. Quand on écrit en vers, on ne saurait dire la vérité car on est trop loin de la réalité. La prose, elle, compte plusieurs avantages. D'abord, elle se rapproche de la prose latine des chroniques et en reçoit ainsi une valeur de vérité. Ensuite, elle est proche de la forme du Nouveau Testament – or, sans l'avouer, sous l'influence cistercienne, l'ambition des romans du Graal est de composer un nouvel Évangile. Enfin, la prose est conçue comme un mode d'expression analytique qui permet de rendre compte du foisonnement du réel.

Écrit au XIIIe siècle, le cycle de Lancelot-Graal (anonyme) est le premier de ces cycles en prose après le *Merlin*. Le roman *Lancelot*, de près de 2 000 pages, constitue le volet central du cycle. Il est suivi de *La Quête du Saint Graal*, qui consacre la christianisation du genre arthurien. C'est à Galaad, fils de Lancelot, que revient l'honneur de voir les mystères du Graal, accompagné de Perceval et Bohort, un cousin de Lancelot. Mais Galaad et Perceval meurent, car il est impossible de continuer à vivre sur terre après avoir connu une telle extase. Seul Bohort revient à la cour d'Arthur pour témoigner. Commence alors le dernier volet, *La Mort du roi Arthur*, qui va clore le cycle en faisant mourir tous les personnages ayant survécu à la quête du Graal. Après l'apothéose religieuse, c'est la tragédie profane qui décrit dans la douleur la fin du monde arthurien…

Tristan et Iseut

Bien des gens m'ont dit et conté
– et je l'ai aussi trouvée par écrit –
l'histoire de Tristan et de la reine,
de leur amour si parfait [*fine* !]
qui leur causa tant de souffrance
et dont ils moururent à la fin
en un seul jour.

Marie de France, *Le Lai du chèvrefeuille*

Tristan et Iseut dans *Messire Lancelot du Lac* de Gauthier de Moap, 1470, BNF, Paris.

De tous les grands thèmes de la littérature médiévale, la légende de Tristan et Iseut est peut-être celle qui exerça la plus grande fascination, et ce dès le Moyen Âge, où elle a fait l'objet de nombreuses versions. Certaines se sont perdues, comme *Le Conte du roi Marc et d'Iseut la Blonde* que cite Chrétien de Troyes* au début de *Cligès* ; d'autres ne nous sont parvenues qu'en fragments, comme celles de **Thomas** et **Béroul**. Trois récits brefs ont été conservés : les *Folies Tristan* de Berne, celles d'Oxford, et *Le Lai du chèvrefeuille* de **Marie de France***.

Ainsi, la « matière de Tristan », qui prend sa source dans la matière de Bretagne, se diffuse en de multiples supports et allusions, et nourrit toute

Thibaud de Champagne, *Chansons notées disposées par ordre alphabétique*, XIIIe siècle, BNF, Paris.

une iconographie. Son sujet même, brûlant, se situe aux confins de la *fin'amor* : le milieu de la cour, un héros noble et vaillant, des épreuves, un amour adultère qui se meut en passion et s'achève dans la mort…

Des deux fragments les plus connus, celui de **Béroul** (v. 1160), d'environ 4 500 vers, rapporte les épisodes centraux de la légende. L'unité de l'ensemble est assurée par la présence d'un narrateur qui commente les faits et oriente l'interprétation. L'auteur, qui était certainement jongleur, tire le texte du côté d'une peinture rude et dévorante de la passion, prend le parti des deux héros et cherche à émouvoir l'auditoire, tout en s'interrogeant sur la place de l'amour et du désir dans la société.

La version de **Thomas** (v. 1175), composée de 3 000 vers, donne une dimension plus « courtoise » au texte. Elle privilégie l'analyse du sentiment amoureux, l'introspection et la plainte lyrique, tout en évacuant des épisodes trop réalistes (comme celui d'Iseut livrée aux lépreux). Son objectif, précisé dans l'épilogue, est d'être un texte exemplaire pour éviter les pièges et les ruses du désir.

Orphelin de naissance, Tristan est élevé par Gouvernal pour devenir un parfait chevalier. Arrivé à la cour du roi Marc, son oncle, il parvient à terrasser le géant Morholt, à qui le royaume de Cornouailles payait un lourd tribut chaque année. À son retour, Marc décide d'épouser Iseut, que Tristan a pour mission de ramener d'Irlande. Pour la conquérir, il affronte et vainc le dragon qui dévaste le royaume d'Irlande. Sur le bateau qui les ramène tous deux en Cornouailles, ils sont victimes d'un philtre d'amour que la reine avait préparé pour les futurs époux. Commence alors une passion dévorante qui les liera jusqu'à la mort, malgré les lois, malgré les hommes, malgré eux-mêmes. Le mariage a lieu, mais les amants parviennent à déjouer les pièges que leur tendent les barons félons et le nain Frocin. Marc finit par découvrir leur secret. Condamnés, ils se réfugient dans la forêt du Morrois, où ils vivent dans le plus parfait dénuement. Marc les y surprend un jour, alors qu'ils reposent côte à côte. Ému, il leur laisse la vie sauve, mais laisse son épée pour marquer sa venue (comme Arthur avait laissé Excalibur entre Lancelot et Guenièvre). Les deux

Mort de Tristan et Iseut. Miniature du XVe siècle, musée Condé, Chantilly.

amants, rongés de remords, se séparent : Iseut retourne à son époux, Tristan s'exile en Armorique. Là, il épouse Iseut aux blanches mains, mais il ne peut oublier la reine. Il retourne en Cornouailles déguisé en lépreux, en fou, pour la retrouver. Au cours d'un ultime combat, il est blessé à mort. Seule Iseut la Blonde peut le sauver. Trompé par sa femme qui lui annonce une fausse nouvelle (la voile est noire, Iseut n'est donc pas sur le bateau qui arrive de Cornouailles), il meurt de chagrin. Iseut meurt à son tour, sur le corps de son amant. Le roi Marc décide de les faire enterrer dans la même chapelle. Du tombeau de Tristan jaillit une ronce qui part s'enfoncer dans celui d'Iseut, symbole d'un amour qui transcende la mort.

L'amour ainsi vécu par les deux amants dépasse la vision de l'amour courtois, raffiné, policé, qui élève les âmes. Cette histoire est considérée par beaucoup comme le mythe fondateur de l'amour passion en Occident.

Héloïse et Abélard

Pierre Abélard (1079-1142) est un éminent professeur, l'un des plus savants esprits de son époque ; **Héloïse** est jeune, brillante, cultivée ; le professeur séduit son élève, ou l'élève tombe amoureuse de son professeur ; ils s'aiment, se marient, ont un fils, Astralabe… Si cette histoire est devenue l'archétype de l'Amour, à la fois passionnel et spirituel, c'est qu'elle a tourné au tragique, comme une sorte d'écho des aventures de Tristan et Iseut, et que la postérité en a gardé une correspondance, l'une des plus enflammées de la littérature épistolaire.

L'oncle d'Héloïse, chanoine de Notre-Dame, qui avait accueilli Abélard sous son toit pour qu'il s'occupe de l'éducation intellectuelle de sa nièce, voit cette liaison d'un très mauvais œil, si bien qu'il décide de le chasser de chez lui, puis de le châtrer ! Or la castration était en principe une peine infligée en châtiment d'un viol ou d'un adultère. Abélard n'était coupable ni de l'un ni de l'autre. Après cette catastrophe, Abélard décide de se faire moine, alors qu'Héloïse, de son côté, prend le voile. Ils sont définitivement séparés, l'un à l'abbaye de Saint-Denis, l'autre au couvent d'Argenteuil. Abélard reprend ses cours, se spécialise en théologie, les étudiants affluent, il erre de lieu en lieu avant de se fixer à Saint-Gildas de Rhuys, en Bretagne. C'est là qu'il écrit, vers 1132-1133, *L'Histoire de mes malheurs*, qui est aussi un appel au secours. Il y mentionne pour la première fois Héloïse, qui entre-temps est devenue prieure de l'abbaye d'Argenteuil puis abbesse du Paraclet, transformé en couvent de femmes. Abélard en est le prédicateur et le conseiller spirituel, il s'y rend souvent.

Les lettres qui suivent cette confession reviennent des années après sur leur passion, et le charnel se lie au spirituel pour sacraliser l'Amour. Derrière l'abbesse se cache toujours l'amante :

> Tu as été l'unique maître de mon corps, comme de mon âme. [...] Comment peut-on parler de pénitence pour les péchés, quel que soit le traitement infligé au corps, si l'esprit garde en lui la volonté de pécher et brûle de ses anciens désirs ? [...] J'ai trouvé si délicieux les plaisirs de l'amour que je ne peux pas les condamner et que j'en ai des souvenirs très vifs. Partout où je vais, toujours, je les vois et ils me donnent des désirs ; même quand je dors, leurs souvenirs me tourmentent. Pendant la messe, leurs images obscènes me fascinent, elles m'occupent plus que la prière. Alors que je devrais gémir des fautes commises, je soupire plutôt après les plaisirs perdus. Je me rappelle ce que nous avons fait, où et quand ; et même les mouvements de mon corps trahissent mes pensées, je dis des mots sans le vouloir...
>
> Héloïse, lettre IV

Régine Pernoud souligne cet amour total : « Elle aime. Elle aimera toute sa vie... Son amour à elle est sans nuance et sans faille : c'est l'Amour. » Comme Tristan et Iseut, Héloïse et Abélard ne seront réunis que dans la mort, dans leur tombeau du Père-Lachaise à Paris, et dans la postérité. En effet, cette histoire a fasciné génération après génération depuis le XIIe siècle, et Rousseau**, en particulier, s'est souvenu de leurs lettres enflammées en donnant le titre de *La Nouvelle Héloïse* à l'un des chefs-d'œuvre de la littérature épistolaire.

Héloïse et Abélard, miniature du *Roman de la Rose*, XIVe siècle, musée de Chantilly.

Le Roman de la Rose

Le Roman de la Rose de Guillaume de Lorris (v. 1200), terminé par Jean de Meun (v. 1275), est le modèle de l'écriture allégorique.

Miniature du *Roman de la Rose*, fin du XIVe siècle, BNF, Paris.

L'une des ambitions de **Guillaume de Lorris** est d'intégrer les motifs courtois dans une trame romanesque. Le titre même de l'œuvre révèle la dualité entre la langue commune, utilisée par le commun des mortels (le *roman*), et l'art du symbole, dont la rose est l'archétype. L'auteur s'inspire d'une technique mise au point au XIIe siècle par des écrivains comme **Bernard Silvestre** dans son commentaire allégorique de l'*Énéide*, ou **Raoul de Houdenc** dans son *Songe d'Enfer* (voir p. 93) et dans son *Roman des Ailes* (où il développe le sens allégorique des deux ailes de la chevalerie, Largesse et Courtoisie). Mais c'est *Le Roman de la Rose* qui donne ses lettres de noblesse au roman allégorique.

Qu'est-ce que l'écriture allégorique ? C'est une écriture qui distingue explicitement le sens littéral, évident, du sens caché. Derrière le sens premier, l'auteur a encodé un sens second que le lecteur doit être capable de décrypter, comme nous le laissent entendre les premiers vers de l'œuvre :

Maintes gens disent que dans les songes
Il n'y a que fables et mensonges ;
cependant il en est tels
qui ne nous trompent pas,
et dont la vérité se manifeste après,
j'en prends à témoin Macrobe
qui ne tenait pas les songes
pour des chimères
mais décrivit la vision
qui survint à Scipion.

Que ceux qui jugent une telle croyance
absurde et insensée
me traitent de fou s'ils veulent :
car mon sentiment intime
est que les rêves présagent aux hommes
ce qui leur arrive de bon ou de mauvais,
car beaucoup d'entre eux songent la nuit
d'une manière obscure de choses
qu'ils observent clairement par la suite.

Le texte est rapporté à la première personne, comme pour lui donner une dimension autobiographique et inviter le lecteur à s'identifier au héros. En voici la trame : un jeune damoiseau pénètre dans une société élégante qui se livre au divertissement. Séduit par une jeune beauté, il se voue totalement à cet amour. Mais l'éducation courtoise, dont on lui rappelle les principes, lui impose de dures épreuves pour mériter sa Dame. L'espace dans lequel se déroulera la quête de l'Amant est un lieu clos : le Verger de Deduit, qui abrite la Fontaine de Narcisse et le Buisson de Roses, où se dresse le Château de Jalousie, prison de la Rose. Jusqu'ici rien d'original par rapport à la tradition courtoise, sauf que les personnages ont pour nom Bel Accueil, Raison, Ami, Danger le jardinier, Oiseuse, Courtoisie, Male Bouche ou Jalousie… En effet, le motif le plus évident de l'écriture allégorique est la **personnification** : des notions abstraites, des qualités, des sentiments sont présentés comme des personnages et mènent une vie propre. Les personnages n'ont d'existence qu'en tant que symboles. La Rose, ainsi, figure la beauté qui oriente la passion et règne sur la vie de l'Amant. La quête de la Rose constitue la **métaphore** directrice de l'œuvre, qui nous livre les différentes étapes de l'initiation amoureuse et nous rappelle les codes de cet art d'aimer qu'on appelle *fin'amor*.

Le Songe. Miniature du *Roman de la Rose*, v. 1370, musée Condé, Chantilly.

Entre 1268 et 1282, le clerc **Jean de Meun** ajoute une suite d'environ 1 800 vers au récit, qui reprend la forme allégorique et mène à son terme la quête de la Rose, mais en modifie la portée. Car c'est aussi une relecture critique de l'œuvre qui dénonce les impasses du *fin'amor*. Le lieu clos du Verger de Deduit devient le Pré ouvert du Bon Pasteur, la Fontaine périlleuse de Narcisse se transforme en Fontaine de Vie. La fiction du songe est oubliée pour laisser place à un poème philosophique qui s'interroge sur les relations entre les sexes et intègre la satire et la polémique. L'art d'aimer ne se présente plus comme une quête, mais plutôt comme un conflit. À la vision symboliste d'un univers intérieur répond la vision plus pessimiste et sceptique d'une société où règne Faux Semblant, et cette divergence de visées suit l'évolution historique. Ainsi, l'allégorie lyrique de Guillaume de Lorris pouvait s'expliquer par l'attachement du XIIe siècle au mysticisme, alors que l'allégorie satirique de Jean de Meun répond à la crise de confiance qui ébranle les structures féodales au cours du XIIIe siècle.

Portrait de Guillaume de Lorris. Miniature d'un manuscrit du *Roman de la Rose*, Bodleian Library, Oxford.

« S'il y a beaucoup de loups entre tes nouveaux apôtres, Église, tu es mal en point ; si ta cité est attaquée par tes commensaux, ta puissance est bien malade. Si ceux que tu charges de la défendre cherchent à la prendre, qui pourra la garantir contre eux ? »

L'influence de ce texte aux multiples interprétations a été considérable : plus de trois cents manuscrits, de très nombreuses enluminures, des remaniements, des mises en prose… et ses symboles ont hanté et hantent encore aujourd'hui les œuvres romanesques et poétiques ultérieures.

Les successeurs de Chrétien de Troyes

Le Roman de Guillaume de Dôle

Le *Roman de Guillaume de Dôle* (v. 1200), de **Jean Renart**, est un roman d'amour et de chevalerie qui compte parmi les plus attrayants du genre. Courtois et généreux, Conrad, empereur de Germanie, désire épouser la belle Liénor, sœur du preux chevalier Guillaume de Dôle. Son sénéchal, jaloux de la faveur dont jouit Guillaume, parvient à apprendre que la jeune fille porte sur la hanche le signe d'une rose rouge. Dès lors, il se vante d'avoir été son amant. Liénor, confrontée à la douleur et au mépris de sa famille, cherche à confondre le sénéchal. Arrivée à la Cour, où sa beauté fait sensation, elle l'accuse de l'avoir prise de force. Traduit en justice, le sénéchal voit son innocence reconnue, ainsi que celle de Liénor, et l'heureux empereur peut enfin l'épouser. Le roman est coupé de nombreuses chansons bien connues des courtisans du roi Louis, une nouveauté qui eut des imitateurs comme Gibert de Montreuil* dans le *Roman de la Violette*.

Le Roman de la Violette

Le *Roman de la Violette* ou *Roman de Gérard de Nevers* (XIIIe siècle), rédigé en vers par **Gibert de Montreuil**, représente la littérature de la haute société française à l'apogée de l'âge médiéval. On y découvre la vie des chevaliers et les fêtes et divertissements d'une cour raffinée et un peu libre. Le texte est coupé de chansons qui étaient alors en vogue dans les assemblées de courtisans, ce qui ajoutait à l'agrément de l'auditoire. Le roman est bâti sur un pari : celui du comte Lisiard de Forez de séduire Euriaut, dame aimée du comte Gérard de Nevers. Il apprend qu'Euriaut porte une tache de naissance violette sur le sein et se targue, sur cette preuve, d'avoir remporté son pari. Gérard décide alors d'abandonner sa Dame. Mais, en dépit de leur séparation, les deux amants ne peuvent oublier leur amour. Au terme d'une longue série d'aventures, Gérard sauvera Euriaut du bûcher, proclamera son innocence et se battra en duel avec Lisiard avant d'épouser enfin sa belle…

Le Roman de Mélusine

Le *Roman de Mélusine* (XIVe siècle), roman en prose de **Jean d'Arras**, se voulait à la fois divertissant et riche en enseignements pour la formation des grands seigneurs. Mélusine et ses sœurs enferment leur père Élinas, roi d'Écosse, dans une montagne du Northumberland pour le punir d'avoir trahi leur mère, la fée Pressine. Celle-ci punit sévèrement ses filles : Mélior est enfermée dans un château d'Arménie où elle doit prendre soin d'un épervier et n'accorder son amour à personne ; Palestine est recluse dans une montagne d'Aragon où elle doit veiller sur le trésor de son père en attendant qu'un chevalier vienne la délivrer. Et Mélusine, la plus coupable, subit le châtiment le plus dur : chaque samedi, la partie

Mélusine surprise au bain. Thüring von Ringoltingen, *Mélusine*, 1456, musée national de Nuremberg.

L'envol et le retour (allaitement) de Mélusine. Coudrette, *Le Roman de Mélusine ou l'Histoire de Lusignan*, BNF, Paris.

inférieure de son corps se transforme en serpent. Elle est autorisée à se marier à un chevalier à condition que celui-ci ait fait le serment de ne pas chercher à la voir en ce jour funeste. Mélusine parvient à épouser Raimondin, fils du roi des Bretons, mais chacun de ses enfants porte sur le visage un signe d'infamie. Ils connaissent malgré tout une vie heureuse dans la merveilleuse forteresse de Lusignan, jusqu'à ce que Raimondin manque à sa parole. Découverte, Mélusine se transforme en serpent ailé et disparaît tandis que, de chagrin, son époux se retire dans un cloître.

Une version rimée du roman de Jean d'Arras, *Le Livre de la vie de Mélusine* (XIVe siècle) de **Coudrette** – ou Couldrette –, contribua considérablement à la diffusion de la légende, qui connut un grand succès en Angleterre, au Luxembourg et en Allemagne.

Le Livre du Cœur d'Amour épris

Prince malchanceux et idéaliste, **René d'Anjou** dit « le bon roi René » (1409-1480), roi sans couronne du royaume de Naples et beau-frère de Charles VII, est l'auteur de deux romans allégoriques : *Le Mortifiement de Vaine Plaisance* et le *Livre du Cœur d'Amour épris* (1457). Une nuit, à la faveur d'un rêve – comme dans *Le Roman de la Rose* (voir p. 50) –, le Cœur du narrateur part en quête de Douce Merci, allégorie de la femme idéale. Il rencontre de nombreuses embûches et s'allie finalement avec Amour, mais au terme d'une grande bataille, Douce Merci tombe entre les mains de Danger, le pire ennemi de l'amour… L'histoire finit mal pour le Cœur, plus mal encore pour le désir. Ce beau livre désenchanté et mélancolique reflète un âge finissant, celui de l'imaginaire courtois.

La poésie courtoise

C'est dans les chansons des **troubadours** (en langue d'oc) et des **trouvères** (en langue d'oïl) que l'amour courtois trouve sa plus belle expression. Les mots « troubadour » et « trouvère » viennent de *trobar* en langue d'oc, formé sur le latin *tropare*, qui signifie « inventer des tropes » : ce sont ceux qui inventent, qui composent paroles et musique. C'est donc une poésie lyrique au sens premier du terme, une poésie mise en musique. Le sommet de leur art est la *canso*, la chanson d'amour, ou Grand Chant : il s'agit d'un poème de 40 à 60 vers, répartis en strophes de six à dix vers (sizains ou dizains), et terminés par un envoi (*tornada*) qui répète la fin de la dernière strophe par la mélodie et les jeux de rimes. Ces chansons nous sont parvenues grâce aux « chansonniers », gros recueils manuscrits datant pour la plupart de la fin du XIIIe et du XIVe siècle. Les copistes y ont retranscrit des chansons, partitions et vers qui avaient jusque-là circulé oralement, de cour en cour. Cette diffusion orale explique que nombre de chansons sont anonymes et que les textes comptent des variantes. Les œuvres étaient accompagnées d'un commentaire censé éclairer les allusions par le rappel des circonstances de la composition – quand elles étaient connues… Cette poésie lyrique sophistiquée qui véhicule une thématique courtoise (raffinement des sentiments, soumission de l'Amant à sa Dame) est née dans les cours aristocratiques, où elle avait à la fois pour rôle de divertir et d'édifier.

Qui étaient ces poètes ? Leurs origines sont très variées : du grand seigneur, comme **Guillaume IX de Poitiers** ou **Raimbaud d'Orange**, à de pauvres hères comme **Cercamon** (dont le nom signifie « Celui qui court le monde ») et son disciple **Marcabru** (d'abord surnommé Pain Perdu), en passant par des hobereaux (**Guillaume de Saint-Didier**, les quatre châtelains d'Ussel…) ou des fils de domestiques comme **Bernard de Ventadour**, ainsi que des clercs défroqués comme **Peire Cardenal.** Tous ces gens se croisaient dans les châteaux, dans diverses cours, auprès de certaines dames, et ils échangeaient leurs chansons et discutaient de questions d'amour ou de poétique

L'amant à la porte de la demeure « Plaisir d'amour », *Roman de la Rose* de Jean de Meun, XVe siècle, British Library, Londres.

dans des poèmes dialogués appelés *jeux partis.*

La poésie lyrique s'est d'abord propagée en langue d'oc : **Guillaume IX de Poitiers** est considéré comme le premier troubadour. L'une de ses descendantes, Marie de Champagne, fille d'Aliénor d'Aquitaine et de Louis VII, a accueilli à sa cour **Chrétien de Troyes*** qui, avant de devenir romancier, écrit de belles chansons, lançant la mode des trouvères en langue d'oïl. D'abord champenoise, la poésie lyrique gagne la Picardie et l'Artois, avec notamment **Hue d'Oisy**, puis la Flandre avec **Philippe d'Alsace**, comte de Flandre. À Arras, autour d'une société littéraire nommée Le Puy sont organisés des concours de poésie qui permettent à toute une génération de jeunes poètes de se faire connaître, dont le plus fameux sera **Adam de la Halle***, auteur prolixe et musicien inspiré.

C'est l'amour qui inspire troubadours et trouvères, un amour pur (*fin'amor*) en général inaccessible pour une Dame de haut rang, amour chanté à la première personne. Le *je* clame les beautés de sa belle, se plaint des souffrances qu'il endure mais qui le font devenir meilleur et digne de l'aimée, et cette souffrance, sur le modèle du religieux, assure la rédemption. Ainsi purifié, l'amant espère parvenir à son but ultime, *la Joie,* qui est plus que la possession des corps : l'union de deux âmes, la fusion mystique dans la contemplation…

À côté de ces chants au masculin, une poésie féminine existe aussi. Chez les *trobairitz* en langue d'oc, notons la **comtesse de Die** et, au nord, l'une des premières grandes voix féminines de la littérature, **Marie de France***.

Troubadours et trouvères

Guillaume de Poitiers

Guillaume de Poitiers (1071-1127), le premier grand troubadour, était duc d'Aquitaine, l'un des plus puissants seigneurs de son époque. Il joua sur différents registres, courtois et grivois, à la fois « l'un des hommes les plus courtois du monde, et des plus habiles à tromper les femmes ».

De là-bas où est toute ma joie
Ne vois venir ni messager ni lettre scellée,
C'est pourquoi mon cœur ne dort ni ne rit.
Et je n'ose faire un pas en avant,
Jusqu'à savoir si notre réconciliation
Est telle que je la désire.

Il en est de notre amour
Comme de la branche d'aubépine
Qui sur l'arbre tremble
La nuit, exposée à la pluie et au gel,
Jusqu'au lendemain, où le soleil s'épand
Sur ses feuilles vertes et ses rameaux.

Trad. Anne Berthelot

Bernard de Ventadour

Bernard de Ventadour est peut-être le plus célèbre des troubadours. Fils de domestiques, il vécut dans la seconde moitié du XIIe siècle et a donné une dimension à la fois personnelle et symbolique à cette poésie très codifiée. Il faisait partie de la cour d'Aliénor d'Aquitaine, et il la rejoignit en Angleterre quand elle épousa Henri II Plantagenêt.

Hé ! Las ! Je croyais tant savoir
D'amour, et j'en sais si peu !
Car je ne peux m'empêcher d'aimer
Celle dont je n'aurai jamais aucun profit.
Elle m'a pris mon cœur, et elle m'a pris à moi,
Et elle avec moi et tout le monde ;
Et en prenant tout, elle ne me laisse rien
Sauf désir et cœur brûlant.
Je n'ai plus eu de pouvoir sur moi,

Tropaire-prosier de Saint-Martial de Limoges, v. 1020-1030, BNF, Paris.

Et je ne fus plus à moi dès l'heure
Qu'elle me laissa regarder en ses yeux
En un miroir qui me plaît beaucoup.
Miroir, depuis que je me suis miré en toi,
Les soupirs profonds m'ont tué.
Et je me perdis comme se perdit
Le beau Narcisse en la fontaine.

Trad. Anne Berthelot

Joueur de psalterion, enluminure du XIIe siècle, BNF, Paris.

Gautier de Coinci

Gautier de Coinci, né vers 1177 en Champagne, entra chez les bénédictins et devint grand prieur de Saint-Médard, près de Soissons, en 1233. Homme d'Église, il chante une Dame de cœur proche de la Sainte Vierge.

Quand la glace, la neige et la froidure s'en vont
Quand les oiseaux ne cessent de chanter,
Alors il est sage que toute créature se consacre
À honorer la Dame des anges,
Car en elle est descendu pour sauver le monde
Le Roi des rois (puisse-t-il nous pardonner nos fautes ?)
Dont nous devons redouter le châtiment.

Jamais âme morte ou vive ne connaîtra
La peine ou le besoin quand Elle veut la garder ;
Nul ne l'honore sans obtenir récompense
Bien plus belle qu'il n'aurait pu penser.
Pour cela je veux user ma vie, mon corps, mon cœur
À la servir sans réserve.
Si doux m'est ce faix à porter.

Trad. Marie-Geneviève Grossel

Troubadours, XIIIe siècle, Bibliothèque royale de l'Escurial, Madrid.

Guiot de Provins

Guiot de Provins (seconde moitié du XIIe siècle-début du XIIIe) est l'un des plus anciens trouvères. D'origine humble, il a suivi les cours de Saint-Trophime en Arles, où il a pu se nourrir de la poésie des troubadours.

Pour ce qui est de ma Dame et de moi, je m'étonne fort
Qu'elle me possède ainsi lorsque je suis loin d'elle.
Je crois guérir sitôt que je la vois
Quand cela redouble le mal dont je me meurs.
Dieu m'aide ! c'est une forte affaire
Que de mourir parce que je l'ai vue.
Mais j'ai toute confiance en ma bonne foi
Et en ce fait que jamais je ne lui mentis.

Beaucoup me demandent pourquoi
J'aime une dame qui n'a pas pitié de moi.
Ce sont des rustres, des êtres de vile loi.
Car je ne l'ai pas encore mérité, Dame,
Le doux regard dont vous m'avez saisi
Ni la pensée dont mon cœur se réjouit.
Et celui qui me traite de fou
Ne sait pas que je suis un ami loyal.

Je suis un ami loyal et je ne fais pas folie.
Amour m'a mis tout entier dans sa prison.
Elle me fait aimer et chérir son être,
Bien parler, agir avec raison
Celle de qui j'attends ma récompense
Si bien que je ne trouve en moi ni colère ni irritation.
Mon bel espoir, je ne voudrais l'échanger
À personne contre quelque don que ce soit.

Trad. Marie-Geneviève Grossel

Thibaut de Champagne

Thibaut de Champagne (1201-1253), descendant d'Aliénor d'Aquitaine, était comte de Champagne et ami des poètes. Son maître fut certainement Gace Brulé, le trouvère de Meaux. Thibaut de Champagne chanta la douleur d'aimer et sa soumission entière à sa Dame.

Je suis pareil à la licorne
Dont le regard est fasciné
Quand elle va regardant la jeune fille.
Elle est si heureuse de ce qui la tourmente
Qu'elle tombe pâmée en son giron ;
Alors on la tue par trahison.
Et moi, de la même façon m'ont tué

Codex Manesse, XIVe siècle, bibliothèque de l'Université, Heidelberg.

Amour et ma Dame en vérité.
Ils ont mon cœur, je n'en peux rien avoir.
Dame, quand je fus devant vous
Et que je vous vis pour la première fois
Mon cœur était si tressaillant
Qu'il resta quand je m'en fus.
Alors il fut emmené sans rançon
En prison de la douce geôle
Dont les piliers sont de désir,
Et les portes en sont de beau regard
Et les chaînes de bon espoir.

Trad. Anne Berthelot

Rudolf von Ems, *Chronique universelle,* XIVe siècle.

Adam de la Halle

Adam de la Halle, ou Adam le Bossu, vécut dans la seconde moitié du XIIIe siècle et fut attaché au comte d'Artois. Il a composé des chansons d'amour, des jeux partis (voir p. 84) et de nombreux rondeaux, qu'il transforma en pièces musicales complexes.

Ah, Dieu quand reverrai-je
Celle que j'aime ?
Certes, je ne le sais.
Ah, Dieu quand reverrai-je
Celle que j'aime ?
De voir son corps gracieux,
Je meurs de cette faim.
Ah, Dieu quand reverrai-je
Celle que j'aime ?

Trad. Marie-Geneviève Grossel

Voix de femmes

Des voix féminines se font également entendre, dans d'autres formes poétiques associant au lyrisme des séquences narratives codées. On retrouve ainsi les motifs de la courtoisie, mais traités du point de vue de la femme.

Les chansons de toile

Par leur facture, les chansons de toile rappellent les chansons de geste : strophes brèves, emploi du décasyllabe, présence d'un refrain qui assure le lyrisme. Après une strophe posant le décor – souvent une jeune fille noble occupée à ses travaux d'aiguille –, les strophes suivantes évoquent les amours difficiles de l'héroïne.

Belle Yolande en sa chambre était assise,
Elle cousait une robe de belle soie.
Elle voulait l'envoyer à son ami.
Elle chantait cette chanson tout en soupirant :
Mon Dieu, il est si doux le nom d'amour,
Je ne croyais jamais en sentir de chagrin.

« Mon bel ami si doux, je veux vous envoyer
Une robe de soie en signe de mon grand amour.
Je vous en prie, pour Dieu, ayez de moi pitié. »
Elle ne put rester debout, sur le sol elle s'assit.
Mon Dieu, il est si doux le nom d'amour,
Je ne croyais jamais en sentir de chagrin.

Comme elle prononçait ces paroles
Son ami entra dans la maison.
Elle le vit, elle baissa la tête,
Elle ne pouvait plus parler, elle ne lui dit ni oui ni non.
Mon Dieu, il est si doux le nom d'amour,
Je ne croyais jamais en sentir de chagrin.

« Ma douce dame, vous m'avez oublié. »
Elle l'entend, elle lui sourit.
Avec un soupir, elle lui tendit ses beaux bras.
Elle le prit, elle l'enlaça si doucement.
Mon Dieu, il est si doux le nom d'amour,
Je ne croyais jamais en sentir de chagrin.

Trad. Marie-Geneviève Grossel

Codex Manesse, XIVe siècle, bibliothèque de l'Université, Heidelberg.

Les chansons d'aube

Les chansons d'aube décrivent le réveil des deux amants surpris par le lever du jour et la douleur de se séparer :

Quand je vois se lever l'aube du jour
Il n'y a rien que je doive plus haïr
Car elle me fait quitter
Mon bien-aimé, pour qui j'ai tant d'amour.
Certes, je ne hais rien tant que le jour,
Bien-aimé, qui me sépare de vous.
[...]
Bel ami doux et cher, vous allez partir.
Je vous recommande à Dieu,

Pour Dieu, je vous en supplie, ne m'oubliez pas !
Je n'aime personne autant que vous.
Certes, je ne hais rien tant que le jour,
Bien-aimé, qui me sépare de vous.

J'en fais prière à tous les amants sincères :
Qu'ils aillent chantant ma chanson
En dépit de tous les médisants
Et des méchants maris jaloux.
Certes, je ne hais rien tant que le jour,
Bien-aimé, qui me sépare de vous.

Trad. Marie-Geneviève Grossel

Les pastourelles

Dans des lieux ouverts comme les prairies, les pastourelles relatent la rencontre entre un chevalier et une jeune bergère, proie facile ou au contraire petite rusée, et la joute verbale et sensuelle qui s'ensuit. En contrepoint du *fin'amor*, ces pastourelles disent un désir qui peut enfin se satisfaire…

Danse de pastourelles et de pastoureaux, *Les Heures de Charles d'Angoulême*, détail, miniature du XVe siècle, BNF, Paris.

L'autre jour quand je chevauchais sous l'ombre d'une prairie
Je rencontrai une gentille bergère, les yeux verts, la tête blonde,
Vêtue d'un petit bliaud,
Le teint frais et rosé ; elle se faisait un chapeau de roses.

Je la saluai, la belle ; elle me répond brièvement.
« Belle, n'avez-vous pas d'ami qui vous fasse bonne figure ? »
Elle répond aussitôt en riant :
« Non pas, messire le chevalier, mais j'en cherchais un. »

« Belle, puisque vous n'avez pas d'ami, dites-le, m'aimerez-vous ? »
Elle répond en sage fille : « Oui, si vous m'épousez.
Alors je ferai ce que vous voudrez.
Mais si vous voulez autre chose, ce serait déloyal. »

« Belle, laissez donc cela ; ne vous souciez pas de mariage !
Mais nous vivrons joyeusement autant que nous le pourrons,
À nous embrasser, à nous accoler.
Et, je vous le garantis, je n'aurai pas d'autre amante. »

« Sire, votre belle apparence me serre tant le cœur
Que j'en suis vôtre, quoi qu'on dise, et sur-le-champ. »
Elle fit trois pas
Qu'entre ses bras il l'a saisie sur l'herbe verdoyante.

Trad. Marie-Geneviève Grossel

Marie de France

Marie de France (1154-1189) est la première femme écrivain en langue romane. De sa vie, on a très peu d'éléments, si ce n'est cette indication dans l'épilogue de ses *Fables* : « J'ai pour nom Marie et suis de France », c'est-à-dire de la région d'Île-de-France. Peut-être a-t-elle vécu en Angleterre, à la cour d'Henri II Plantagenêt et d'Aliénor d'Aquitaine. Son œuvre est composée de *Fables* (dont s'inspirera La Fontaine**), d'un récit de voyage visionnaire dans l'au-delà, *Le Purgatoire de saint Patrick*, et surtout d'un recueil de *Lais*, textes courts en vers inspirés de la matière de Bretagne. Femme cultivée, elle savait le latin et pouvait le traduire, connaissait les Anciens comme Ovide ou le grammairien Priscien, mais également les grands textes français récents. Elle justifie ainsi son projet d'écriture dans le prologue des *Lais* :

Celui à qui Dieu a donné l'intelligence et une bonne éloquence ne doit ni se taire, ni les cacher ; mais il se doit de les montrer volontiers. […] Les philosophes savaient bien et comprenaient d'eux-mêmes que plus le temps passerait, plus les hommes auraient l'esprit subtil et mieux ils sauraient se garder de négliger ce qui se trouvait dans les livres. Celui qui veut se défendre du vice doit faire des études et commencer une œuvre difficile. […] C'est pourquoi j'ai pensé que je pourrais écrire quelque bonne histoire et adapter le latin en roman.

Trad. Philippe Walter

S'inspirant de contes bretons qu'elle aurait entendus, Marie de France a fait preuve d'une grande maîtrise dans la composition. Son art de la mise en scène rend ses récits vivants et variés, alliant à l'envi réalisme et merveilleux. L'amour est le sujet principal du recueil : neuf des douze lais rapportent des histoires d'adul-

Marie de France écrivant.
Enluminure d'un manuscrit de Marie de France, XIIe siècle, BNF, Paris.

L'Amant pénètre dans le sanctuaire. Enluminure d'un manuscrit du *Roman de la Rose*, 1410, bibliothèque de l'Université, Valence (Espagne).

tère ! Après une courte introduction à la première personne à la manière des jongleurs, elle pose le décor et rapporte les faits dans une tonalité poétique et courtoise (l'original est écrit en octosyllabes à rimes plates) :

Je vais vous raconter une aventure dont les Bretons firent un lai. On le nomme Laostic, il me semble ; c'est ainsi qu'ils l'intitulent dans leur pays. Cela veut dire rossignol en français et *nightingale* en anglais.
Dans la région de Saint-Malo, il y avait une ville réputée. Deux chevaliers y habitaient et possédaient chacun une place forte. La valeur des deux barons avait fait la réputation de la ville. L'un avait épousé une femme intelligente, courtoise et avenante. Elle se faisait merveilleusement apprécier par sa conduite, qui respectait l'usage et les bonnes manières. L'autre était un jeune célibataire bien connu entre ses pairs pour son courage et sa grande valeur. Il menait une vie fastueuse, participait à de nombreux tournois et dépensait généreusement. Il donnait volontiers ce qu'il possédait.
Il tomba amoureux de la femme de son voisin…

Le Lai du Rossignol, trad. Philippe Walter

La littérature populaire

Bien loin des épopées héroïques et des raffinements de la poésie courtoise, codifiée et réservée à une élite sociale, il existe aussi au Moyen Âge toute une littérature populaire, lyrique ou satirique, religieuse ou profane, qui va se développer autour de deux pôles : d'un côté, le genre narratif avec des romans satiriques, de petits contes appelés fabliaux ou des chantefables, et de l'autre le genre dramatique, qui va mêler pièces religieuses et pièces profanes.

Le **comique médiéval** prend différentes formes, de la gauloiserie, grossière et franche mais inoffensive, à un rire plus subtil, plus subversif, mettant à mal la hiérarchie sociale et permettant aux plus faibles de prendre leur revanche sur les plus forts (la noblesse, les commerçants, les gens d'Église). Ce n'est pas en général un comique psychologique : il s'inscrit dans les faits, gestes et paroles de la réalité quotidienne avec le souci du détail vrai, qui fait sens immédiatement. Les auteurs et ceux qui donnent vie et voix à leurs textes – jongleurs, ménestrels ou acteurs – n'ignorent pas les effets comiques de la répétition d'un procédé, de l'accumulation de motifs analogues, de l'exagération des traits, et peuvent aller jusqu'au scatologique et au trivial dans les relations maris-femmes-amants. Ils s'amusent aussi avec les sonorités des mots et les doubles sens, d'où les quiproquos et les calembours qui en découlent et plaisent à un public averti. Le rire est ainsi à la fois l'expression du corps et de toutes ses outrances, et l'expression de l'esprit avec toutes ses nuances.

Une veillée. Miniature du XIVe siècle, BNF, Paris.

Mais derrière le rire premier se cache une portée plus profonde, à la fois littéraire et sociale : le détournement des codes littéraires épiques ou courtois par la parodie et la transgression des codes sociaux, à travers des morales qui pointent les excès et les injustices de la société médiévale et donnent enfin la parole aux plus faibles. Le rire devient alors protestation contre les codes établis et permet de renouveler une pensée qui prend conscience du hiatus entre les idéaux chevaleresque et courtois et les réalités d'une société en pleine mutation.

Le roman satirique

Le Roman de Renart

Le Roman de Renart n'est pas un roman au sens moderne du terme : s'il est écrit en langue vulgaire (le « roman »), il se présente comme un recueil de vingt-six contes indépendants les uns des autres, écrits entre 1175 et 1250 par des auteurs variés qui sont pour la plupart restés anonymes. Cet ensemble, qui compte environ 25 000 vers, est construit sur le principe de la série, avec une structure narrative récurrente où domine le « bon tour » et le retour des mêmes personnages, répartis entre adjuvants et opposants au goupil. Chaque conte, qu'on appelle « branche », est écrit en octosyllabes et raconte un épisode des aventures de Renart, le goupil, personnage principal qui a donné son nom à l'animal que l'on connaît aujourd'hui sous le terme de « renard ». Chaque narrateur s'implique fortement dans son récit pour le rendre vivant et intéresser le lecteur.

L'objectif des auteurs est double : tout d'abord, **faire rire** par le biais d'une histoire riche en péripéties et rebondissements qui met en scène des animaux. Autour de Renart, le héros, on retrouve ainsi Hermeline, sa femme, Ysengrin, le loup, Noble, le lion, Chanteclerc, le coq, Brun, l'ours (qui oublie une mission pour du miel), Tibert le chat, etc. Mais la ruse de la fiction animale, qui repose sur le procédé de la personnification (donner des traits humains à des animaux), permet aussi de **faire réfléchir** en critiquant indirectement les mœurs des hommes et les carcans de la société médiévale. Ainsi, Renart a tous les attributs du vassal : il possède une terre et un château, Maupertuis, il est marié et père de famille (il a trois fils,

Renart combat Ysengrin. Jacquemart Gellée, *Le Roman de Renart le Nouvel*, XIIIe siècle, BNF, Paris.

Rovel, Percehaie et Malebranche), il est très attaché à son lignage et se reconnaît comme chrétien. Toutefois, par son comportement, il déshonore la belle image de la noblesse chevaleresque : il ne respecte ni son suzerain, Noble le lion, ni ses amis et voisins, comme Ysengrin le loup, et cherche à tromper tout son monde et à servir ses propres intérêts par l'intermédiaire de la ruse. Renart est en fait l'incarnation de la faim, au propre et au figuré, et du désir de séduction et de jouissance. *Le Roman de Renart* se présente donc comme une parodie de la chanson de geste épique, mettant à mal les idéaux de la société courtoise.

Ainsi commence l'épisode ayant pour titre *Ysengrin dans le puits* :

Il vaut mieux que je vous raconte une histoire qui vous fasse rire car je sais bien qu'en vérité, vous n'avez pas la tête à écouter un sermon ou une vie de saint. Ce dont vous avez envie, c'est de quelque chose de distrayant. Faites donc silence, car je suis en train et j'ai plus d'une histoire qui en vaut la peine. On me prend souvent pour un fou mais j'ai ouï dire à l'école : la sagesse sort de la bouche du fou. Inutile d'allonger l'entrée en matière ! Je vais donc vous raconter sans plus tarder un des tours – un seul ! – d'un maître ès ruses ; il s'agit de Renart, ce n'est pas moi qui vais vous l'apprendre. Personne n'est capable de le faire marcher, alors que lui, il envoie paître tout le monde ; depuis son enfance, il suit le mauvais chemin. On a beau le connaître, on n'arrive jamais à échapper à ses pièges. Il est prudent, astucieux ; il agit en catimini. Mais, en ce monde, le sage lui-même n'est pas à l'abri de la folie.

Voici donc la mésaventure qui lui est arrivée. L'autre jour, démuni de tout et tenaillé par la faim, il était en quête de nourriture. À travers labours et taillis,

Ysengrin s'accoude à la margelle du puits et se penche…
Miniature du XIVe siècle.

il va, misérable et furieux de ne rien trouver à manger pour son souper ; mais il ne voit rien à se mettre sous la dent. Reprenant alors le trot, il gagne l'orée du bois où il s'arrête, bâillant de faim, s'étirant de temps à autre, tout maigre, décharné, et ne sachant que faire : c'est que famine règne dans tout le pays. Ses boyaux se demandent bien dans son ventre ce que font ses pattes et ses dents. Torturé par la faim, il ne peut retenir des gémissements de détresse et de désespoir. […] Tendant le cou, il aperçoit dans un enclos, tout près d'un champ d'avoine, une abbaye de moines blancs avec une grange attenante qu'il décide de prendre pour cible. Elle était solidement construite avec des murs en pierre grise fort dure – vous pouvez m'en croire – et entourée d'un fossé aux bords escarpés : impossible de s'introduire dans un lieu si sûr pour y voler. Et pourtant, ce n'est pas victuaille qui y manque, ni en quantité ni en qualité. Quelle grange alléchante, et dont beaucoup ignorent jusqu'à l'existence.

Trad. Micheline de Combarieu du Grès et Jean Subrenat

Dès ce préambule, tout est mis en place : le narrateur impose sa présence et sa voix (*je*), il rappelle son objectif (*faire rire*), il présente le personnage principal, considéré comme connu de ses destinataires (*Renart*) avant de poser le décor de son aventure et de préciser l'élément perturbateur qui va servir de déclencheur à l'action (*la faim*). Il introduit une réalité sociale, un fléau partagé par beaucoup (*la famine*) et montre du doigt une caste qui en est protégée, par-delà les hauts murs de l'abbaye : *les moines*, censés prôner la charité et qui se protègent en fait derrière leurs privilèges. Mais cette condamnation n'est pas d'une grande portée, elle sert plutôt de prétexte à moqueries et bons mots, tout en cherchant l'adhésion du peuple.

Après s'être régalé de deux poules, notre héros éprouve une grande soif, qu'il veut étancher grâce à un puits. Trompé par le reflet, il tombe au fond du trou et s'y trouve coincé. Également poussé par la faim, son compère Ysengrin passe dans les environs. Renart l'appelle et le somme de l'aider en se mettant dans le seau du haut et, bien sûr :

« l'un vient, l'autre s'en va, c'est l'usage. Moi, je monte au paradis, toi, tu descends en enfer. Toi, tu vas au diable et moi, je lui ai échappé. Tu es tombé au trente-sixième dessous et moi, je m'en sors. Te voilà renseigné. »

Sitôt pied mis à terre, Renart se réjouit de sa victoire. Ysengrin, de son côté, aura à souffrir les coups de bâton des moines…

Un autre épisode, *Renart et Tiécelin le corbeau* a largement inspiré La Fontaine** pour sa fable « Le Corbeau et le Renard ». Non seulement Renart a récupéré le fromage goûteux, mais il s'est en plus retourné contre le corbeau après avoir feint d'être blessé, n'en obtenant heureusement que quatre belles plumes. Conclusion de Tiécelin :

C'est un menteur, un hypocrite, je l'ai appris à mes dépens.

Après un long procès, Renart est parvenu à échapper à la justice royale et se réfugie dans son château. Les animaux en font le siège et, au bout de six mois, il est capturé par Tardif le limaçon, malgré l'aide précieuse de son cousin germain, Grimbert le blaireau.

On lui a déjà passé la corde au cou, et il est tout près d'avoir à passer devant Dieu, quand arrive Grimbert son cousin qui le voit aux mains d'Ysengrin.
Le loup veut le pendre à la potence…

Le roi Noble et ses barons attaquent le château de Maupertuis, repaire de Renart, qui se défend une hache à la main. Jacquemart Gelée, *Renart le Nouvel*, fin du XIIIe siècle, BNF, Paris.

Au moment où le roi Noble demande qu'il soit pendu, arrive une troupe de cavaliers, dont sa femme Hermeline et ses enfants, chargés d'or et d'argent. Ils demandent grâce et le roi, dans sa grandeur d'âme – à moins que ce ne soit par amour de l'or ! – la lui accorde pour cette fois… Avant de repartir libre, Renart se moque de toute la cour réunie du haut d'un chêne et va même jusqu'à lancer une pierre sur le roi.

Dans une autre « branche », Renart est convoqué par le roi qui lui confie une mission de haut rang : garder le royaume et la reine pendant que lui part en guerre contre les païens (une armée de scorpions, de tigres et d'éléphants avec à leur tête un chameau). Pendant les combats qui opposent le roi et ses barons aux infidèles, pages qui sont autant de parodies des romans de chevalerie, Renart, lui, file le parfait amour… avec la reine !

> Comblé par la présence de sa dame, il se préoccupe d'autre part d'approvisionner abondamment le château en nourriture, afin d'être en mesure de faire face à une attaque. Tout est donc au mieux pour les amants.

Il va même jusqu'à faire annoncer que le roi est mort pour prendre sa place officiellement !

Renart assiégé par le roi Noble et ses barons. Miniature du XIVe siècle.

> Les barons sont à la fois peinés pour le roi qui ne reviendra pas et contents d'avoir Renart comme nouveau seigneur. L'échange des serments entre le goupil et la reine a lieu aussitôt et c'est la liesse dans le palais, qui retentit des chansons et des lais joués par les jongleurs sur leurs vielles. Dames et jeunes fille dansent. Tous et toutes mènent grande joie. […] Le lendemain, sans plus attendre, Renart épouse la dame. Tous les barons du royaume lui prêtent serment de fidélité.

Mais le roi finit par revenir avec tous ses blessés. À l'ambassadeur Écureuil, Renart répond :

> « Allez lui dire que, désormais, le roi c'est moi et que je n'ai rien à ajouter. »

Le roi doit ainsi prendre d'assaut son propre château !…

Après un combat singulier contre Chanteclerc, le coq, Renart est blessé et sauve sa vie en feignant d'être mort. Il rentre chez lui. Pour échapper à la justice royale, il fait mine d'être mort et enterré. En apprenant la nouvelle, le roi en éprouve même quelque chagrin…

> Et sur ces mots, [le roi] sort de sa tente et monte dans son palais. J'achève ici de vous raconter la vie et l'enterrement de Renart. Telle est aussi la fin de son histoire.

Le Roman de Renart fera quelques émules au XIIIe siècle, mais aucune de ces suites n'aura la même verve que l'original. Parmi elles, signalons *Renart le Bestourné* de **Rutebeuf*** (1260-1270), *Le Couronnement de Renart* (v. 1295), écrit par un anonyme flamand, et *Renart le Contrefait* (apr. 1328), rédigé par un clerc originaire de Troyes pour critiquer son époque.

Les fabliaux

« Je ris et je deviens moins sot,
En écoutant les fabliaux. »

Extrait d'un fabliau du XIIᵉ siècle

Les fabliaux constituent un corpus d'environ 160 textes, écrits de la fin du XIIIᵉ au milieu du XIVᵉ siècle. La plupart se situent dans la France du Nord : Picardie (avec l'auteur **Jean Bodel***, originaire d'Arras, ou **Durand de Douai**), le Centre, la Champagne et la Normandie. Ce sont des récits en vers assez courts, de 200 à 500 octosyllabes, jusqu'à 1200 pour les plus longs. Le mot vient du latin *fabula*, « histoire inventée », comme le mot « fable » ; mais au lieu de mettre en scène des animaux pour illustrer une morale, les fabliaux visent à faire rire aux dépens des humains, auxquels viennent se mêler des êtres aux pouvoirs supérieurs, saints ou diables : un jongleur en enfer face à Lucifer, un curé sur sa mule, un paysan et son seigneur, deux frères voleurs, un prêtre peu scrupuleux face à ses ouailles, le mari et sa femme…

Le voleur puni. Miniature du XVᵉ siècle, musée Condé, Chantilly.

Des lieux connus, à la ville ou à la campagne, des personnages pris dans leur vie quotidienne, des situations qui font sens tout de suite : on peut se reconnaître ou reconnaître son voisin et se moquer gentiment de lui. Mais parfois le rire devient satire, critique de ceux qui représentent le pouvoir seigneurial ou religieux, et le fabliau se fait le lieu d'une revanche sociale des plus faibles sur les plus forts et les plus riches. Il ouvre les yeux sur des défauts cachés, sur des privilèges injustes. On en rit, sans vraiment pouvoir changer les choses… Ainsi **Courtebarbe**, au début des *Trois Aveugles de Compiègne*, en précise-t-il la fonction cathartique :

Il fait bon écouter les fabliaux, messires. Si le conte est joliment fait, on oublie tout ce qui est désagréable, même les douleurs du corps, même les souffrances du cœur, même les injustices des méchants. Voilà pourquoi je suis fier de mon métier, moi, Courtebarbe. Ouvrez grandes vos oreilles, si vous voulez vous divertir.

Les fabliaux se transmettaient par voie orale. C'étaient les jongleurs, les ménestrels qui les racontaient et les mettaient en scène sur les places de villages lors des foires, ou dans les châteaux devant une assistance choisie. Il s'agissait pour eux de rendre vivant le fabliau, de poser un décor, d'y faire évoluer des personnages de toutes classes sociales en mimant leurs gestes, en imitant leurs voix et leurs expressions pour maintenir l'attention des auditeurs. Très souvent, ils s'impliquaient dans leurs récits pour ajouter des épisodes, faire des commentaires ou se moquer d'un des personnages.

Cette transmission orale explique pourquoi la plupart des fabliaux sont restés anonymes. Si l'on connaît certains auteurs comme **Jean Bodel*** ou **Rutebeuf***, c'est parce qu'ils ont écrit d'autres ouvrages. Ils appartiennent tous à la classe des clercs, ces hommes d'Église instruits qui ont reçu la tonsure sans être prêtres pour autant. Érudits, férus des textes anciens, ils sont cependant pauvres et peu intégrés socialement. Pour se venger de leurs soucis d'argent, ils se moquent des puissants et font passer leur message par le rire.

Si les fabliaux se distinguent les uns des autres par une grande variété de tonalités et de sujets traités, on peut cependant dégager quelques caractéristiques récurrentes : un ancrage dans un espace quotidien facilement identifiable ; la primauté de l'action sur la psychologie des personnages, qui sont plus des types sociaux (le bourgeois, le seigneur, le curé, le vilain...) que des individus singuliers ; et la présence fréquente d'une moralité, qui garde un caractère élémentaire et pragmatique.

Selon l'expression de Joseph Bédier, les fabliaux sont des « contes à rire » dont la tradition s'est perpétuée jusqu'à aujourd'hui dans les sketchs qui dissèquent les travers de la société pour nous divertir et nous faire réfléchir par-delà le rire premier.

La Vache au prêtre

Brunain, la Vache au prêtre (fin du XIIe siècle) de **Jean Bodel*** narre l'histoire d'un paysan et de sa femme. Le jour de la fête de la Vierge, ils s'en vont prier à l'église. Pendant l'office, naturellement, le prêtre fait son sermon. Il dit que si l'on comprend les choses, on voit tout de suite qu'il faut donner beaucoup pour le Bon Dieu ; ce qu'on lui donne de tout son cœur, il vous le rend au double.

Les Très Riches Heures du duc de Berry, « mois de mars », frères de Limbourg, 1410-1416, AKG, Berlin.

« Tu as entendu, ma femme, ce qu'a dit le curé ? fait le paysan. Celui qui donne de tout son cœur pour le Bon Dieu, il reçoit deux fois plus. Qu'est-ce que tu en penses ? Nous ne pouvons pas employer mieux notre vache qu'en la donnant au prêtre pour le Bon Dieu, je crois bien. Tu es d'accord ?
– D'accord, fait la femme. À cette condition-là, je veux bien. Je la donne. »

Aussitôt dit, aussitôt fait. Ils s'en retournent chez eux, le paysan entre dans l'étable, prend la vache par sa longe et va l'offrir au prêtre. Celui-ci était habile, et rusé. Il écoute.

« Beau Sire, dit le paysan, les mains jointes, pour l'amour de Dieu je vous donne Blérain. »

Il lui met dans les mains la longe de la vache.

« Ami, tu viens d'agir comme un sage, dit le curé Dom Constant qui ne pense jamais qu'à prendre. Va en paix, tu as très bien rempli tes devoirs. Si tous mes paroissiens étaient aussi sages que vous deux, j'aurais beaucoup de bêtes ! »

Le paysan s'en va et le curé donne l'ordre à son clerc d'attacher Blérain avec sa propre vache Brunain, une belle vache assez grande. Le clerc la mène au pré, attache les deux vaches ensemble, puis il les laisse… La vache du curé se penche, elle veut paître. La vache du paysan, elle, ne veut pas se baisser et tire sur la longe, si fort qu'elle entraîne Brunain hors du pré et l'emmène avec elle, par les rues d'abord, puis par toutes les prairies et les cultures de chanvre. La voici revenue à son étable. Enfin ! Sa compagne était lourde à traîner !

Le paysan les voit. Il est tout joyeux : « Ah ! ma femme, dit-il, c'était vrai ! C'est vrai ! Dieu est un bon "doubleur" ! Blérain revient avec une autre, une belle vache brune. Nous en avons deux pour une seule ! L'étable va être petite… »
Ce fabliau vous montre plusieurs choses. Il est bien fou celui qui ne se fie pas à la volonté divine. Les vrais biens ce n'est pas ceux qu'on cache dans la terre, ce sont les dons de Dieu. Personne ne peut rien multiplier s'il n'a pas beaucoup de chance, c'est la condition indispensable. Parce qu'il avait beaucoup de chance, le paysan eut deux vaches et le curé perdit la sienne. Tel croit avancer qui recule.

Trad. et adaptation Pol Gaillard et Françoise Rachmulh

Dans ce fabliau, deux morales : l'une, très ironique, qui se moque de la crédulité des croyants (*Il est fou celui qui ne se fie à la volonté divine*), l'autre plus terre à terre, qui condamne la cupidité de certains, en particulier des gens d'Église qui ne cherchent qu'à s'enrichir sur le dos des plus faibles (*Tel croit avancer qui recule,* qu'on pourrait traduire par « Tel est pris qui croyait prendre »).

Les Très Riches Heures du duc de Berry, « mois de février », frères de Limbourg, 1410-1416, AKG, Berlin.

Le Testament de l'âne

De nombreux fabliaux, comme *Le Testament de l'âne* de **Rutebeuf*** ou *Le Curé qui mangea des mûres,* dénoncent les privilèges des gens d'Église, leurs péchés et leur désir de profit. Dans le fabliau de Rutebeuf, un curé avait une très bonne paroisse, c'est-à-dire qu'il en tirait un très fort revenu. À la mort de son âne, qu'il aimait beaucoup, plus que ses ouailles en tout cas, il décida d'enterrer l'animal « en terre consacrée », soit au cimetière. Son évêque, qui aimait le luxe et les réceptions et était toujours à court d'argent, eut vent de l'affaire. Celle-ci se régla au confessionnal et non au tribunal : pendant que l'évêque faisait le signe du pardon d'une main, il recevait de l'autre une bourse pleine, « le testament de l'âne », en échange de son enterrement en terre sanctifiée. Moralité :

Quiconque a de l'argent assez, et un peu de jugeote,
se tire toujours d'affaire en ce monde.
C'est moi qui vous le dis, Rutebeuf,
qui n'eut jamais un âne ni un bœuf.

Estula

Le fabliau *Estula* met en scène deux paysans très pauvres qui, poussés par la faim, décident de dérober une nuit des choux et un mouton à un fermier très riche et… sot ! Il repose sur un double quiproquo. Le premier, entre la question *Es-tu là ?* et le nom du chien des fermiers, Estula. Entendant du bruit, le fils du fermier sort et appelle son chien ; l'un des voleurs lui répond, pensant qu'il s'agissait de son frère. Le fils prend peur, croyant au miracle. Le père en doute et l'expérience est refaite. Pensant à une malédiction, il demande à son fils d'aller chercher le curé, avec son eau bénite. Le second quiproquo est provoqué par une confusion de formes : le frère resté dans le potager croit voir son frère arriver avec un mouton sur le dos, et il prononce ces paroles : « Mon couteau est bien aiguisé, on l'aura bientôt égorgé. » Or il s'agissait en fait du fils, portant le curé sur son dos. Ce dernier prend peur, il s'enfuit. Et les deux frères rentrent gaiement chez eux, les mains pleines de vivres. Moralité :

En peu de temps Dieu travaille !
Tel rit le matin qui pleure le soir,
tel est furieux le soir qui sera joyeux le lendemain matin.

Derrière cette gentille histoire apparaît une triste réalité, comme dans le *Roman de Renart* : la faim et la misère, qui peuvent conduire à des actes irréparables.

La Vieille qui graissa la patte au chevalier

Le fabliau *La Vieille qui graissa la patte au chevalier* repose sur une confusion entre le sens propre et le sens figuré de l'expression « graisser la patte » à quelqu'un. Une vieille femme, qui n'avait pour seule richesse que deux vaches, les laisse échapper. Elles se réfugient dans le pré communal et le prévôt, officier censé maintenir l'ordre et faire respecter la justice seigneuriale, refuse de les lui rendre pour se les garder. Une voisine conseille à la pauvre femme d'aller graisser la patte au chevalier, ce qu'elle fait, avec un bon morceau de lard ! Le seigneur, ému et compréhensif, intervient en sa faveur. Moralité :

L'histoire finit bien, mais elle vous rappelle
quelque chose que vous avez déjà remarqué,
probablement. Même pour qu'on reconnaisse
ses droits, le pauvre doit souvent payer.
Est-ce juste ?

Le chevalier soutient les faibles.
Codex Manesse, XIVe siècle, bibliothèque de l'Université, Heidelberg.

On a ici une critique acerbe de la justice… injuste et de ses représentants, les prévôts, personnages brutaux et sans scrupules qui ne servaient souvent que leurs propres

Deux sorcières confectionnant une potion. Gravure sur bois issue d'un livre d'alchimie publié en 1487.

intérêts, ou ceux des riches qui les payaient en retour. On en retrouvera des échos au XVIIe siècle chez Molière** ou La Fontaine**. Le seigneur, lui, est épargné.

Les Perdrix

D'autres fabliaux, eux, s'intéressent à la sphère du privé, aux relations entre maris et femmes ou entre enfants et parents, de façon plus ou moins délicate. Ainsi, dans *Les Perdrix*, son auteur anonyme clame d'entrée de jeu, pour dénoncer la duplicité des femmes :

> Ceci n'est pas un conte ni une fable, messires,
> c'est une histoire vraie, toute vraie.

Le paysan Gombault, tout content d'avoir trouvé deux perdrix, les porte à sa femme pour qu'elle les prépare. Mais cette dernière ne peut résister à la tentation et les dévore toutes deux. Au retour du mari, elle accuse d'abord le chat, puis le curé qui passait par là. Il finit par la croire. Moralité :

> Cette aventure, messires, vous le montre une fois de plus : la femme est faite pour tromper. Avec elle le mensonge devient vérité, la vérité devient mensonge. Pas besoin de commenter beaucoup, j'ai fini l'histoire des perdrix.

À méditer…

La Housse partie

Dans *La Housse partie* [la couverture partagée] de **Bernier**, un bourgeois d'Abbeville, qui avait donné toute sa fortune à son fils, se voit mis à la rue par sa belle-fille. Le fils ne lui cède qu'une couverture pour chevaux. Or, comme le petit-fils ne lui en donne que la moitié, il retourne se plaindre à son fils. Voici comment se justifie le petit-fils :

> « Que me resterait-il pour vous, mon père ? Je vous en mets la moitié de côté. C'est ce que vous aurez de moi plus tard. Au moment voulu, je partagerai avec vous comme vous partagez avec lui. Il vous a laissé tous ses biens, moi aussi, je prendrai les vôtres. Et vous n'emporterez avec vous rien de plus de ce qu'il

emporte aujourd'hui. Si vous le laissez mourir de misère, j'en ferai autant, si je suis encore en vie. »

Le père a compris la leçon. Moralité, tout est bien qui finit bien :

Cette histoire prouve qu'un fils peut chasser les mauvais sentiments du cœur de son père. Elle montre aussi qu'un homme ne doit jamais se dépouiller en faveur de ses enfants : les enfants sont sans pitié. Imiter la conduite du prud'homme [grand-père], c'est folie plutôt que sagesse. Se mettre à la merci d'autrui, c'est attirer le malheur. Voici ce que Bernier vous dit, en guise de conclusion.

La chantefable

Composé à la fin du XIIe ou au début du XIIIe siècle, *Aucassin et Nicolette* est le seul exemple parvenu jusqu'à nous du genre littéraire de la **chantefable**, qui joue sur tous les possibles narratifs avec des variations de tons et de registres.

Aucassin et Nicolette

Le texte présente une alternance régulière de laisses chantées et de passages plus développés en prose. Est-ce une œuvre unique en son genre ou les autres se sont-elles perdues ? Peut-on soutenir avec Jean-Charles Payen que l'on a fait disparaître les copies d'un texte « qui offusque le confort intellectuel du public médiéval, qui bouscule trop de poncifs, même si la provocation s'y dissimule sous un dehors bon enfant » ? Toujours est-il que cette œuvre séduit par son mélange détonnant entre poésie raffinée et scènes burlesques, entre respect des règles chevaleresques et épisodes parodiques.

Nicolette s'évade. Fac-similé d'un bois gravé de la fin du XVe siècle, BNF, Paris.

Une autre originalité réside dans le statut de l'auteur. Dès les premiers vers, l'écrivain annonce, en parodiant le style épique, qu'il consacre ses dernières forces à conter les amours de deux jouvenceaux pour le plaisir des auditeurs – alors que l'usage était d'instruire et d'édifier –, et il précise qu'il se surnomme le Vieil Antif, qui est le nom du cheval de Roland :

> Qui veut entendre de bons vers que, pour se divertir, un vieux bonhomme écrivit sur deux beaux jeunes gens, Aucassin et Nicolette, sur les tourments que souffrit celui-ci et les exploits qu'il accomplit pour son amie au lumineux visage ?
> Si la mélodie est douce, le texte est beau, fin et bien composé. Personne n'est si abattu, si affligé et mal en point, si gravement malade qu'il ne recouvre, à l'entendre, santé, joie et vigueur, tant l'histoire est d'une grande douceur.
>
> *Trad. Jean Dufournet*

Les noces de Fauvel et le « charivari » qui accompagne tous les mariages mal assortis. *Roman de Fauvel*, manuscrit du XIVe siècle, BNF, Paris.

Ce prologue met en avant les mêmes bienfaits que la lecture des fabliaux. Puis vient la présentation des personnages, qui renverse les schémas traditionnels : si Aucassin, personnage plutôt passif, fait figure d'antihéros, c'est Nicolette qui, par son courage, son énergie et son esprit inventif, mène le jeu et permet, au terme du récit, le triomphe de l'amour sur les convenances sociales et les épreuves de toutes sortes.

Autre renversement : si le nom de Nicolette sonne bien français, le personnage, lui, est d'origine sarrasine, alors qu'Aucassin, prince chrétien, porte le nom d'un roi maure de Cordoue.

Ajoutons à cela un jeu de mots sur les racines provençales : Aucassin viendrait du mot *auca*, l'« oie », et désignerait ainsi l'oison un peu niais mais sympathique, et Nicolette, serait un diminutif de *nica*, la « nique », et serait synonyme de « futée ». Cette œuvre constitue donc à la fois une parodie de la chanson de geste et un hymne à la femme, dans une langue pleine d'esprit, de vivacité et de poésie.

Le roman social engagé

Par leur réalisme, leur style coloré et leur esprit séditieux, certains romans des XIVe et XVe siècles préfigurent la verdeur de langage et l'humour de Villon (voir p. 113).

Le Roman de Fauvel

Le *Roman de Fauvel* est la somme de deux livres : *La Carrière et le Mariage de l'âne fourbe* (1310), composé de 1 226 vers, et *Les Noces de l'âne Fourbe avec la passion de la vaine gloire* (1314), de 2054 vers. On attribue sa paternité à **Gervais de Bus** qui, en 1312, est chapelain d'Enguerrand de Marigny, ministre du roi Philippe le Bel. Mais seul le second livre est signé. On peut interpréter ce nom de Fauvel comme le *faus vel*, c'est-à-dire la Fausseté voilée, ou comme l'acronyme de Flatterie, Avarice, Vilenie, Vanité, Envie et Lâcheté. Cette œuvre, provocante, engagée et blasphématoire, reprend le motif de la personnification, comme dans *Le Roman de Renart*, pour servir une critique acerbe de la société de son temps. Ainsi commence *Le Roman de Fauvel*, dont le héros est un âne :

À propos de Fauvel, que je vois tant
torcher [bouchonner]
Doucement, sans qu'on l'écorche,
Je suis entré en mélancolie,
Parce que c'est une bête si polie.
Souvent le voient en peinture
Certains qui ne savent s'il représente
Moquerie, sens ou folie.
Et pour cela, sans amphibologie,
Je dirai clairement d'une telle bête
Ce qui peut me passer par la tête.
Fauvel ne couche plus dans une étable,
Il a une maison plus honorable:
Il veut avoir une mangeoire élevée
Et un râtelier noble.
Il s'est logé dans la salle
Pour mieux manifester sa puissance;
Et pourtant, grâce à sa science,
Dans les chambres on le révère fort,
Et souvent dans les garde-robes
Il fait assembler sa suite
Qui si soigneusement le frotte
Qu'il ne peut rester de crotte en lui.
Fortune, qui s'oppose à Raison,
Le fait seigneur de sa maison.

Trad. Anne Berthelot

Le Roman du comte d'Anjou

Le *Roman du comte d'Anjou* (1316), sans doute de **Jehan Maillart**, notaire de Philippe le Bel et chanoine de Tournai, est composé d'octosyllabes à rimes plates regroupés en couplets. Un comte d'Anjou, resté veuf avec sa fille unique, éprouve tout à coup une passion incestueuse pour elle.

Obligée de fuir, elle devient dentellière et est épousée par le comte de Bourges. Elle met au monde un fils en l'absence de son époux, mais une tante hostile remplace le message destiné à l'heureux père, lui annonçant qu'elle a accouché d'un être difforme. Le comte ordonne alors qu'elle soit tuée avec son enfant. Les serfs la laissent s'enfuir et elle se réfugie auprès de son oncle l'évêque d'Orléans. Son mari finit par apprendre la vilenie de sa tante, qui la paiera de sa vie, et retrouve enfin son épouse. Par son souci du détail réaliste, ce roman est un document précieux sur la vie au XIVe siècle.

Célébration d'un mariage. *Décrets de Gratien,* miniature du XIIIe siècle, bibliothèque municipale de Laon.

Les Quinze Joies du mariage

Les Quinze Joyes de mariage (av. 1450) seraient l'œuvre de **Gilles Bellemère**, évêque d'Avignon. Cette satire virulente dénonce avec mépris le rôle et les manœuvres des femmes dans le mariage, institution dont les « joies » sont en réalité « les plus grands tourments qui soient en terre ».

L'auteur prend le parti des malheureux qui se sont laissé piéger et énumère avec vivacité tous les maux qui s'abattent sur l'homme marié. Ce chef-d'œuvre de malice et d'humour forme le pendant grotesque de l'amour courtois.

Le théâtre

Toute la littérature du Moyen Âge est presque exclusivement chantée ou récitée grâce au talent d'un conteur ou d'un poète accompagné d'instruments de musique. La littérature médiévale relève donc tout entière de la mise en spectacle et de l'expression dramatique. Le théâtre au sens moderne du terme n'est qu'un cas particulier de cette situation générale. Si tout est théâtralisé, le théâtre en tant que tel a du mal à se libérer de la tutelle du théâtre religieux latin, et ce n'est que peu à peu que la langue latine va laisser la place à la langue vulgaire, d'abord dans un théâtre d'inspiration religieuse et ensuite dans un théâtre comique plus populaire.

Le théâtre religieux

Au Moyen Âge, la religion est omniprésente. Le théâtre religieux est donc véritablement populaire, sortant fréquemment des monastères pour se jouer dans la rue. Le premier théâtre était chanté, et donc versifié. « On le voit naître dans un contexte liturgique : de bonne heure les scènes de la Bible, de l'Évangile surtout, ont été dramatisées. [...] Le théâtre est donc lié à une fonction sacrée, à une célébration par laquelle s'exprime la vie intérieure. Mais il a encore valeur éducative, aussi se trouve-t-il largement pratiqué dans les écoles et à l'université » (Régine Pernoud).

• **Le « jeu »**, dramatisation des principaux épisodes des Évangiles, a cours jusqu'au milieu du XIIe siècle.

• **Le « miracle »**, dérivé du jeu, est un drame sacré qui célèbre la vie des saints. Il connaît son apogée au XIVe siècle.

• **Le « mystère »**, très en vogue à la fin du Moyen Âge, est représenté à l'occasion des principales fêtes religieuses : il célèbre la fête d'un saint ou évoque la Passion du Christ. Il en existe plusieurs centaines ! Les représentations, assurées par des associations citadines, pouvaient faire intervenir des centaines de participants et durer des dizaines de jours. Le Parlement de Paris interdira les mystères en 1548 en raison de leur manque d'orthodoxie.

Représentation d'un mystère au Moyen Âge.
Peinture anonyme du XVe siècle.

• **Les « moralités »** apparaissent à la fin du Moyen Âge. Plus brèves que les mystères, elles nécessitent moins de moyens et mettent en scène des personnages allégoriques (Pauvreté, Église, Luxure, Noblesse...) qui interprètent des sujets moraux. Citons par exemple *Le Château de la persévérance* (anonyme, 1425), *L'Homme juste et l'Homme mondain* de **Simon Bougoin** (1476) ou *La Condamnation des banquets* de **Nicolas de La Chesnaye** (1507), qui prône la diète et la sobriété.

Le Jeu d'Adam

Le *Jeu d'Adam* (v. 1160) est la première pièce de théâtre de la littérature française. C'est un drame liturgique qui met en scène la création de l'homme, le péché originel, le meurtre d'Abel par Caïn et les prophéties annonçant la venue du Messie. Sa dépendance à l'égard du latin est encore très marquée. Son titre et ses didascalies sont en latin : le spectateur écoute d'abord en latin le prologue des événements qu'il verra ensuite représentés en français. Ceux-ci sont encadrés par des *répons*, chants liturgiques repris par le chœur. La liberté du poème dramatique en langue vulgaire s'exerce ainsi dans l'ombre du texte sacré.

Le Jeu de saint Nicolas

Le *Jeu de saint Nicolas* (1200), du jongleur **Jean Bodel***, est encore une pièce religieuse mais libérée de la liturgie, et il ne reste plus un mot en latin. L'autre nouveauté réside dans sa thématique : on quitte le texte sacré pour s'ouvrir sur la vie quotidienne, sans aucun souci de vraisemblance d'ailleurs, puisque l'on suit de façon humoristique les aventures de saint Nicolas – patron des naïfs, des étourdis et des écoliers – en Orient. La représentation des voleurs qui s'en prennent au trésor protégé par le saint est le prétexte à de nombreuses scènes de tavernes, jalonnées de beuveries et de parties de dés, toute cette veine que l'on retrouvera dans le théâtre comique. Saint Nicolas intervient finalement auprès des voleurs, qui restituent le trésor ; et le roi d'Afrique et ses hommes, touchés par le miracle, se convertissent…

La Légende de Théophile, miniature du psautier d'Ingeburg de Danemark, v. 1210, musée Condé, Chantilly.

Le Miracle de Théophile

Le Miracle de Théophile (1262), du poète **Rutebeuf***, est plus fidèle à l'esprit religieux. Le riche clerc Théophile, se retrouvant pauvre et abandonné de tous, décide de vendre son âme au Diable pour se venger. Mais il est torturé par les remords. Grâce à une émouvante prière, il obtient l'intercession de la Vierge Marie – qu'il a toujours vénérée –, et Satan se voit arracher son pacte. Rutebeuf privilégie à l'action une succession d'états psychologiques – désespoir, fureur blasphématoire, repentir – propres à l'expression poétique d'une personnalité déchirée.

Le *Mystère de la Passion* d'Arnoul Gréban, v. 1450, BNF, Paris.

Le Mystère de la Passion

Le *Mystère de la Passion* (v. 1450) d'**Arnoul Gréban** – poète, compositeur et théologien – compte 35 000 vers. La pièce est jouée par des confréries qui sont de véritables troupes d'acteurs ; c'est un grand spectacle qui dure plusieurs jours, mettant en scène 224 personnages dans des décors imposants. Cette œuvre à la fois poétique et musicale, tragique et grotesque, dégage une impression de puissance et de grandeur.

Le théâtre comique

Se libérant de plus en plus de la tutelle du religieux, le théâtre médiéval prend une dimension comique et subversive, et met en scène des situations du quotidien dans les jeux profanes, les farces et les soties dont le but n'est plus d'édifier et de faire réfléchir mais de faire rire le public et le distraire.

• Le mot « **farce** » désigne de courtes pièces comiques composées du XIIIe au XVe siècle. Représentée à l'occasion des fêtes ou entre deux actes d'une pièce sérieuse pour détendre l'atmosphère, la farce va peu à peu prendre son autonomie pour devenir un genre à part entière. Son but est de parodier joyeusement la vie quotidienne à l'aide de personnages types (le charlatan, le bourgeois, le mari berné, le valet stupide…) en mettant en scène des retournements de situation cocasses. Satirique et amorale, elle reprend la matière des fabliaux (voir p. 71).

• Dans la **sotie**, des « sots » – c'est-à-dire des fous – exposent, sous couvert de leur folie, des vérités dérangeantes. Le thème du monde à l'envers est récurrent, comme lors des carnavals où l'on chante la messe à l'envers et où le riche se déguise en pauvre et le pauvre en riche. Ce bouleversement des rôles et des statuts sociaux est une tradition qui se perpétue à travers les siècles et les cultures au moment des carnavals.

Le Jeu de la feuillée

Le Jeu de la feuillée (v. 1276) d'**Adam de la Halle*** est la première pièce de théâtre d'inspiration entièrement profane. Plusieurs intrigues s'entremêlent : les mésaventures d'Adam, qui cherche à obtenir des sous pour s'en aller à Paris mais ne récolte que des encouragements ; le thème du repas de fées sous la « feuillée », dans lequel Adam de la Halle joue sur les différents sens du terme – branche servant d'enseigne aux tavernes, ou feuillage abritant les amours du printemps, ou feuilles d'un livre ; enfin les élucubrations d'un fou, qui se révèle plus sage qu'il n'y paraît… Ce « jeu » dénonce avec verve les notables de la ville d'Arras, qui sont cités nommément. Le rire, dans cette pièce, s'exerce autant aux dépens du poète lui-même qu'à ceux des autres personnages et s'invite dans de truculentes scènes de tavernes.

Marion et le chevalier. Enluminure du *Jeu de Robin et Marion*, XIIIe siècle, BNF, Paris.

Le Jeu de Robin et Marion

Le Jeu de Robin et Marion (v. 1285) d'**Adam de la Halle*** est comme la mise en scène d'une pastourelle (voir p. 62). C'est le plus ancien exemple connu d'opéra-comique, divertissement mêlé de comédie, de chants et de danses. La bergère Marion repousse les avances d'un chevalier car elle aime Robin. Celui-ci se venge en rouant de coups Robin sous prétexte qu'il a malmené son faucon. Mais la mésaventure est oubliée dès que Robin retrouve Marion, et tout se termine par une grande farandole…

La Farce du cuvier

La Farce du cuvier (anonyme, v. 1450) est une habile variation sur le thème de la « femme qui porte la culotte ». Elle narre les mésaventures conjugales de Jacquinot, affligé d'une épouse acariâtre et d'une belle-mère autoritaire qui lui font noter sur un « rôlet » toutes les tâches ménagères qu'il a à accomplir.

LA FEMME : Eh bien ! écrivez de façon qu'on puisse vous lire. Marquez que vous m'obéirez et que vous ne désobéirez jamais à faire ma volonté.

Le mari sera bien sûr vengé à la fin de la farce…

La Farce de maître Pathelin

La Farce de maître Pathelin (anonyme, v. 1465), donnée comme une farce, est en réalité la première comédie de la littérature française de par son action complexe, ses personnages vivants et nuancés et la qualité de sa verve. Elle conte les mésaventures de l'avocat Pathelin aux prises avec le drapier Guillaume, berné d'abord par Pathelin puis par son berger Agnelet… qui, à son tour, trompe Pathelin. C'est la logique très connue de l'arroseur arrosé. La friponnerie est le trait commun de tous les personnages mais Agnelet, le berger, dissimule une grande astuce sous sa grossièreté ; Guillaume, le marchand cupide, n'est au contraire que sottise sous une apparence rusée ; Pathelin, l'avocat véreux, est un habile bonimenteur qui invente sans cesse des expédients, et Guillemette est la digne auxiliaire de son mari.

Pathelin et le drapier Guillaume. Gravure sur bois du XVe siècle, BNF, Paris.

La scène se passe en Normandie, au XIVe siècle. Au début de la pièce, Pathelin cherche un moyen de gagner de l'argent car il ne plaide plus. Ce sera par l'éloquence de sa parole. Sa femme Guillemette le met en garde, mais il semble sûr de lui. Il se rend chez le drapier acheter des aunes de tissu pour se faire des vêtements neufs. Chacun pense avoir berné l'autre : Pathelin en ne payant pas comptant le tissu, le drapier en lui faisant un prix exorbitant.

MAÎTRE GUILLAUME : Ma foi, j'ai fait une belle affaire ; je l'ai mis dedans. A-t-on jamais vu un nigaud pareil ! Payer vingt-quatre sous du drap qui n'en vaut pas vingt ! Maître Pathelin a beau passer pour un fin renard, il n'est si fin qui ne trouve plus fin que lui !

Illustration de Louis-Maurice Boutet de Monvel, édition du XIXe siècle, BNF, Paris.

Quand Guillaume arrive chez lui pour être payé, Pathelin feint d'être malade et simule la folie.

Le berger Agnelet, assigné en justice par Guillaume pour avoir détourné ses bêtes les plus grasses, choisit Pathelin pour le défendre. Le juge, qui ne comprend goutte à cette affaire de drap et de moutons, pousse des cris ; le marchand, à trop vouloir expliquer, s'embrouille et donne le spectacle d'une vaine indignation ; Pathelin intervient vertueusement en faveur de l'innocence, tandis qu'Agnelet ne répond que par l'onomatopée *Bée !* Une fois le procès gagné, il continue la comédie pour éviter d'avoir à payer Pathelin. Ce dernier en tire la leçon :

> PATHELIN, *seul* : Me voilà bien ! Je crois être le plus habile trompeur de tous les trompeurs, et voilà que je suis refait par un simple berger des champs ! Il n'y a si fin qui ne trouve plus fin que lui. Ma femme a raison. Le dupeur est souvent dupé. *(Il sort.)*

La célébrité de *La Farce de maître Pathelin* fut d'emblée considérable. L'adjectif « patelin » désigne encore aujourd'hui un personnage aux manières doucereuses et hypocrites. Et la formule « Revenons à nos moutons », prononcée par le jugé excédé de voir s'égarer le procès, est devenue un proverbe…

Le Dit de l'herberie

Le Dit de l'herberie (s.d.) de **Rutebeuf***, chef-d'œuvre du genre bouffon, est un monologue extravagant qui caricature le boniment d'un « herbier », c'est-à-dire d'un apothicaire. Pour mieux séduire son auditoire, celui-ci évoque ses voyages mirifiques à travers le monde, avant d'énumérer les maux qu'il guérit, l'efficacité de ses remèdes, et d'en préciser le mode d'emploi :

> Ces herbes, vous ne les mangerez pas… Vous me les mettrez trois jours dormir en bon vin blanc ; si vous n'avez blanc, prenez-le vermeil ; si vous n'avez vermeil, prenez de la belle eau fraîche…

La littérature édifiante

La littérature didactique représente plus de la moitié des textes médiévaux conservés. La majeure partie est inspirée d'œuvres latines, traduites et réinterprétées selon le goût du jour. Aux textes de dévotion et aux manuels de pénitence, de charité et de vertu s'ajoutèrent, au XIIIe siècle, des manuels de bonne conduite, de chevalerie, de chasse, de cuisine, d'art du jardin et des gloses sur toutes sortes de sujets profanes. Outre les **bestiaires**, **lapidaires** et **plantaires** (traités allégoriques sur les animaux, les pierres et les plantes), les encyclopédistes médiévaux rédigent des **computs** sur le sens symbolique des jours et des mois du calendrier ; des **mappemondes**, traités géographiques sur les mondes connus avec, à leurs confins, des régions imaginaires peuplées d'êtres monstrueux… ; des **histoires universelles**, qui combinent Histoire biblique, antique et nationale et incorporent de nombreuses légendes ; des **traités alchimiques**, notamment sur la Pierre philosophale, la Fontaine de Jouvence et la Panacée ; des **traités astrologiques**, sur l'horoscope et les planètes…

Jeanne de Bourgogne et Jean de Vignay. *Miroir historial* de Vincent de Beauvais, 1333, BNF, Paris.

La plus grande encyclopédie du Moyen Âge, le *Grand Miroir du monde* (*Speculum Majus*), a été rédigée dans la première moitié du XIIIe siècle par le frère dominicain **Vincent de Beauvais** et a été maintes fois rééditée jusqu'en 1624. Cette vaste compilation, commandée par le roi Saint Louis et son épouse Jeanne de Bourgogne, est constituée de trois parties : le *Miroir de la nature*, divisé en 32 livres, qui résume les connaissances d'histoire naturelle de l'époque ; le *Miroir de la doctrine*, constitué de 17 livres, qui traite de mécanique, de droit, de scolastique, de tactique militaire, de logique,

Vincent de Beauvais rédigeant le *Grand Miroir du monde*. XIVe siècle, Bibliothèque vaticane.

de rhétorique, de poésie, de géométrie, d'astronomie, d'éducation, d'anatomie, de chirurgie et de médecine ; et le *Miroir de l'histoire*, composé de 31 livres, qui répertorie les événements historiques depuis la Création jusqu'aux années 1250.

Le monde extérieur étant un « miroir de l'âme », les auteurs étudient l'univers non pas en soi, mais toujours sous l'angle des leçons allégoriques qu'il contient pour l'homme – d'où leur réelle valeur littéraire.

Vies de saints, contes dévots et poèmes de la mort

Dans une société où l'imaginaire et la culture sont régis par les hommes d'Église, la littérature est d'abord religieuse. Mais peu à peu, avec le passage à la langue romane, le simple commentaire des textes sacrés se transforme en une tentative indépendante d'appréhender le monde.

Les vies de saints

Les récits hagiographiques, qui traitent de la vie et des actions des saints en les embellissant systématiquement, fleurissent dès le IXe siècle et sont pour la plupart rédigés en latin. Mais à partir du concile de Tours de 813, qui invite les ecclésiastiques à prêcher en langue « vulgaire », de courts textes d'inspiration chrétienne sont rédigés en langue romane afin de mettre la religion à la portée de tous – et de mieux lutter contre les mouvements hérétiques vaudois et cathares. Ces saints, quoique d'origine souvent douteuse, sont les meilleurs avocats de la foi chrétienne dans l'esprit populaire. Les récits de leurs vies, de leurs miracles et de leurs martyres sont les tout premiers chefs-d'œuvre de la littérature française.

La Cantilène de sainte Eulalie

Cantilène de sainte Eulalie, IXe siècle, BM de Valenciennes.

La *Cantilène de sainte Eulalie* (v. 880), court poème de 29 décasyllabes, est le plus ancien texte littéraire en langue romane qui nous soit parvenu. Elle aurait été composée dans un atelier logarinthien, sous Lothaire II, arrière-petit-fils de Charlemagne. Elle faisait partie de la liturgie grégorienne et a vraisemblablement été chantée à l'abbaye de Saint-Amand-les-Eaux, près de Valenciennes. La cantilène raconte le martyre de sainte Eulalie de Mérida et se termine par une prière.

Eulalie était une bonne jeune fille.
Elle avait le corps beau et l'âme plus belle encore.
Les ennemis de Dieu voulurent la vaincre;
Ils voulurent lui faire servir le Diable.
Elle n'écoute pas les mauvais conseillers
Qui lui demandent de renier Dieu qui demeure au ciel là-haut,
Ni pour de l'or, ni pour de l'argent, ni pour des bijoux,
Ni par la menace ni par les prières du roi.
Rien ne put jamais la faire plier ni amener
La jeune fille à ne pas aimer toujours le service de Dieu.
Et pour cette raison elle fut présentée à Maximien,
Qui était en ces temps-là le roi des païens.
Il lui ordonna, mais peu lui chaut,
De renoncer au titre de chrétienne.
Elle rassemble sa force.
Elle préfère subir la torture
Plutôt que de perdre sa virginité.
C'est pourquoi elle mourut avec un grand honneur.
Ils la jetèrent dans le feu pour qu'elle brûlât vite.
Elle n'avait pas commis de faute, aussi elle ne brûla point.
Le roi païen ne voulut pas accepter cela.
Avec une épée, il ordonna de lui couper la tête.
La jeune fille ne protesta pas contre cela.
Elle veut quitter le monde; elle prie le Christ.
Sous la forme d'une colombe, elle s'envole au ciel.
Prions tous qu'elle daigne intercéder pour nous,
Afin que le Christ ait pitié de nous
Après la mort et nous laisse venir à lui
Par sa clémence.

Trad. Philippe Walter

La Vie de saint Léger

Martyre de saint Léger. BNF, Paris.

La *Vie de saint Léger* (seconde moitié du Xe siècle), court poème de 240 octosyllabes assonancés, compte parmi les tout premiers monuments de la langue française. Conduit enfant à la cour du roi Clotaire II, Léger est nommé évêque d'Autun. À la mort du roi, il devient le conseiller de son successeur Chilpéric, puis il quitte les honneurs pour se retirer dans un monastère. Lorsque Chilpéric meurt, Léger est fait prisonnier par Ébroïn, qui était jaloux de lui depuis toujours. Les yeux crevés, les lèvres et la langue coupés, saint Léger ne peut plus servir Dieu. Mais Dieu lui rend la parole pour lui permettre de prêcher, et une foule nombreuse vient écouter sa prédication. Irrité, Ébroïn le fait décapiter, mais le saint continue de se tenir debout…

La Vie de saint Alexis

La *Vie de saint Alexis* (v. 1040), attribuée à **Thibaut de Vernon**, chanoine de Rouen, fait partie des textes les plus anciens de la littérature française. Ce poème en laisses régulières de 5 décasyllabes assonancées est une œuvre littéraire remarquable par sa concision, sa rigueur, son intensité dramatique et la noblesse de sa langue. Aucune des versions remaniées aux XIIe, XIIIe et XIVe siècles ne vaut la perfection de l'original. Alexis, fils du sénateur romain Euphémien, quitte son épouse pour aller vivre en Syrie parmi les mendiants. Au bout de dix-sept ans, le peuple syrien veut l'honorer comme un saint. Alors Alexis s'enfuit et retourne à Rome, sans se faire reconnaître. Il loge sous l'escalier du palais de son propre père, se nourrit des restes et est outragé par les valets. Sentant sa dernière heure arriver, il écrit son histoire, que l'on ne retrouve qu'après sa mort. La ville de Rome l'acclame comme saint et l'inhume en grande pompe dans l'église Saint-Boniface. Voici un extrait de la déploration funèbre de sa femme :

« Sire Alexis, je t'ai regretté durant tant de jours,
Et j'ai tant pleuré de larmes pour ton corps,
Et j'ai tant de fois regardé au loin en te cherchant,
Pour voir si tu revenais conforter ton épouse,
Sans volonté de trahison jamais ni sans lassitude !

Cher ami, ta belle jeunesse !
Cela me peine qu'elle pourrisse en terre.
Hélas ! Noble seigneur, comme je peux me dire malheureuse !
J'attendais de bonnes nouvelles de toi,
Mais voilà que je les reçois si dures et si cruelles !
[...]
Si j'avais su que tu étais là sous l'escalier,
Où tu es resté longtemps malade,
Le monde entier n'aurait pu me détourner
D'aller avec toi habiter :
Si j'en avais eu le loisir, je t'aurais bien gardé.

Désormais je suis veuve, sire, dit la vierge,
Jamais je n'aurai de joie, car ce ne peut être,
Et je n'aurai jamais sur cette terre d'époux charnel.
Je servirai Dieu, le roi qui gouverne tout :
Il ne me faillira pas, s'il voit que je le sers. »

Trad. Anne Berthelot

La Légende dorée

La Légende dorée (1261-1266) de l'Italien Jacques de Voragine, qui raconte la vie de 180 saints et martyrs chrétiens, et explique les fêtes religieuses principales en suivant le calendrier liturgique, fut traduite en France au début du XIVe siècle par **Jean de Vignay** à la demande de Saint Louis et Jeanne de Bourgogne. Très rapidement, elle devint avec la Bible l'œuvre la plus lue et la plus copiée. *La Légende dorée* influence également de manière très significative l'art du Moyen Âge, et permet « bien souvent

La légende de saint Eustache. *La Légende dorée*, v. 1470, BM de Mâcon.

Saint Paulin, évêque de Nole en Italie. Enluminure de la BM de Bordeaux.

d'expliquer à elle seule la plupart des bas-reliefs d'une cathédrale » (Émile Mâle).

Les contes dévots

La Vie des Pères

La *Vie des Pères* (entre 1215 et 1230), constituée de 30 251 vers octosyllabiques à rimes plates, est un recueil de contes pieux mettant en scène les Pères du désert en Égypte au VIIIe siècle, mais le texte est profondément ancré dans le XIIIe. Si les ermites figurent souvent au cœur de la narration, leur rôle dans la vie spirituelle des protagonistes n'est que fonctionnel. L'auteur prêche la confession et souligne l'importance de la charité. Son texte parle d'un monde contemporain peuplé de gens reconnaissables ; cet auteur « humaniste » cherche à concilier bonheur et salut : les personnages les plus importants, les plus heureux, ne sont pas les ermites, mais plutôt ceux qui arrivent à accomplir cette quête à la fois contradictoire et réalisable.

Les Miracles de Notre Dame

Le moine bénédictin **Gautier de Coinci** (v. 1177-1236), grand prieur de l'abbaye Saint-Médard près de Soissons, écrivit en français un recueil de 58 *Miracles de Notre Dame* au début du XIIIe siècle. Ces contes rimés de 30 000 vers, qui célèbrent le culte de la Vierge, sont inspirés de mélodies et de schémas poétiques traditionnels, adaptés de façon très personnelle en leur donnant un décor régional. Cette œuvre a notamment inspiré Rutebeuf dans son *Miracle de Théophile* (voir p. 82). La Vierge Marie y intervient afin de récompenser ou punir, mais tout péché peut être pardonné si le pécheur s'en repent sincèrement. L'aspect moralisateur est toujours présent, pourtant certains passages qui érotisent le sacré pourraient choquer bien des croyants contemporains, tel celui-ci :

Tandis que l'ange parlait,
Au chevet du malade
Descendit une jeune fille.

Elle était si belle et élégante
Qu'aucune langue ne saurait la
[décrire.
Elle paraissait de haute race.
Doucement elle prit la parole.
« Mon bon ami, tiens, je t'apporte
Ce que j'ai tant tardé à te donner.
Tu as tant honoré mon saint ventre
Et tu l'as si souvent béni
Qu'il n'est ni raisonnable ni juste
Que je n'aie pas pitié de toi. »
Alors elle se pencha sur le lit
Et gentiment sortit un sein
Si doux, caressant et beau,
Pour le lui donner à téter.
Puis doucement le toucha
[partout
Et l'arrosa de son doux lait.

Comment Notre Dame guérit un prêtre gravement malade, trad. Pascal Bacro

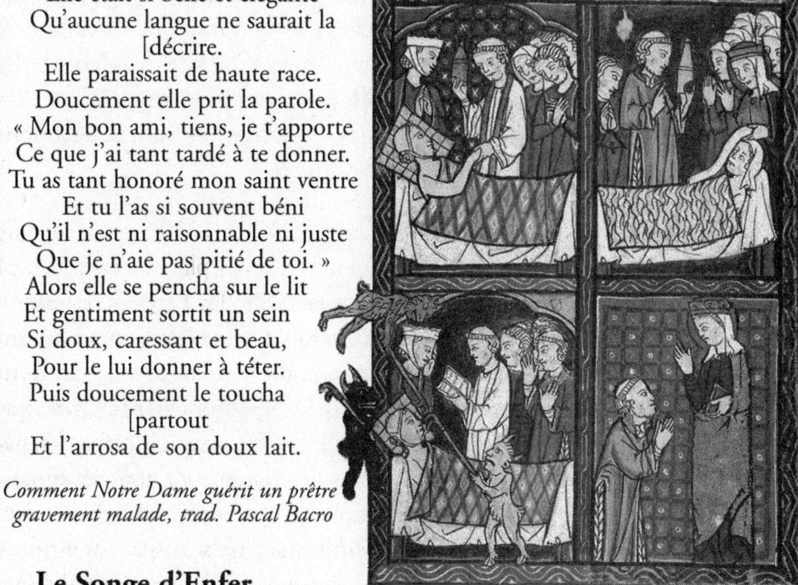

Gautier de Coinci, *La Vie et les Miracles de Notre Dame*, XIIIe siècle, BNF, Paris.

Le Songe d'Enfer

Raoul de Houdenc (v. 1170-v. 1230), jongleur au service des Grands sans doute devenu moine, est l'auteur de *Songe d'Enfer* (premier quart du XIIIe siècle), un poème moraliste en octosyllabes qui raconte un voyage allégorique dans l'au-delà. En voici le début :

Bien que les songes soient pleins de fables, pourtant parfois un songe peut devenir vrai : je sais bien, à ce sujet, qu'il m'arriva qu'en songeant un songe, j'eus l'idée de devenir pèlerin. Je me préparai et me mis en route, tout droit vers la cité d'Enfer. [...] ceux qui vont en quête d'enfer trouvent belle voie et plaisant chemin ; quand je partis de ma terre, pour ne pas allonger le conte, je m'en vins la première nuit à la cité de Convoitise. En terre de Déloyauté se trouve la cité dont je vous parle [...]. Envie me logea bien : à l'hôtel avec nous mangea Tricherie, la sœur de Rapine ; et Avarice sa cousine l'accompagna...

Trad. Anne Berthelot

Le Chevalier au barizel

Le Chevalier au barizel (XIIIe siècle) est un petit poème mystique profondément touchant du moine bénédictin **Gautier de Coinci**. Un chevalier doit expier ses crimes en remplissant d'eau un « barillet » (*barizel*) qui

L'Enfer. Manuscrit du XIVe siècle, BNF, Paris.

demeure toujours vide. Un jour enfin, touché par la Grâce, le pénitent se repent et commence à pleurer. Le barillet se remplit aussitôt de ses larmes sincères et son châtiment prend fin.

Le Tombel de Chartrose

Le Tombel de Chartrose (1337-1339) rassemble 31 « contes du salut » rimés, adressés à une communauté cartusienne (ordre des Chartreux) du diocèse de Soissons. Citons parmi ces contes *Le Duc de Sardaine* (476 vers), *Sainte Gale qui ne voulut pas se remarier* (454 vers) et *Saint Paulin de Nole qui fut en servage pour autrui comme bon pastour* (720 vers). Ce recueil offre une grande diversité de genres littéraires et de sources exploitées par l'auteur (anonyme) : Bible, traités théologiques, littérature classique, philosophique, historique et scientifique, mais aussi sentences et proverbes, qui mobilisent l'attention du destinataire en lui donnant une image pratique de la leçon délivrée par le conte salutaire.

Les poèmes de la mort

Danse macabre du cloître des Saints-Innocents à Paris, gravure sur bois, 1485, BM de Grenoble. Le cimetière des Innocents était la fosse commune.

Les Vers de la Mort

Hélinand de Froidmont (v. 1160-1197), trouvère à la cour du roi Philippe Auguste, mène une vie désordonnée avant de se faire moine de l'ordre de Cîteaux à l'abbaye de Froidmont en Beauvaisis. Ses célèbres *Vers de la Mort* (v. 1195), en douzains d'octosyllabes sur deux rimes – structure poétique inédite et puissante –, connurent un grand succès dans le nord de la France jusqu'à la fin du Moyen Âge. Pour la première fois, le poète n'interpelle plus *un* mort mais *la* mort, thématique désormais autonome qui sera illustrée un siècle et demi plus tard, et jusqu'au XVIe siècle, par les « danses macabres ». Avec un talent exceptionnel et une férocité inégalée, le poète met en scène la Mort, chargée de rappeler à tous qu'il ne faut songer qu'au salut de l'âme.

À la suite d'Hélinand de Froidmont, de nombreux poèmes porteront le titre de *Vers de la Mort*, tels ceux de **Robert d'Arras** (v. 1265) et d'**Adam de la Halle*** (v. 1270). **Jehan Le Fèvre**, auquel on doit l'expression « danse macabre », est quant à lui l'auteur d'un *Respit de la Mort* (1376) moral et didactique, sorte de *Roman de la Rose* non pas de l'amour, mais de la mort…

La mort fait à chacun sa justice
La mort fait à tous une juste mesure,
La mort pèse tout à son juste poids,
La mort venge chacun de son injure,
La mort met l'orgueil à la pourriture,
La mort fait manquer la guerre aux rois,
La mort fait garder les décrets et les lois,
La mort fait abandonner l'usure et le profit,
La mort fait de la suavité une vie dure
[…]
Mort, honni soit qui ne te craint
[…]
S'il n'est pas d'autre monde, […]
Que l'homme vive comme un pourceau
Puisque tout péché est bon et beau.
S'il n'y a point de mérite à la vertu,
Eh ! que feront donc ces ermites
Qui ont dompté leur chair
Et bu tant d'amers breuvages ?
Après la mort sont quitte-quitte
Ceux qui ont choisi la pire vie,
Tous ceux de l'ordre de Cîteaux.

Vers de la Mort d'Hélinand de Froidmont, trad. Jean-Marcel Paquette

Grande danse macabre des hommes et des femmes – Le patriarche et le connétable (à droite), *Le moine, l'usurier et le pauvre homme* (à gauche). Gravures sur bois, 1486, bibliothèque municipale de Troyes.

Dit des trois vifs et des trois morts, XVe siècle, BNF, Paris.

Le Dit des trois vifs et des trois morts

Baudoin de Condé (fin du XIIIe siècle), ménestrel à la cour de Marguerite II de Flandre, composa une vingtaine de dits ou de contes moraux. Son *Dit des trois vifs et des trois morts* (v. 1295) instaure – grande nouveauté – un dialogue entre des vivants et des défunts. Il en existe différentes versions, ainsi qu'un mystérieux *Dit des trois vives et des trois mortes* dont il ne reste qu'un fragment.

Ils étaient, qui duc, qui comte,
Trois hommes nobles de grand prestige
En riche équipage, comme il convient à des fils de roi,
Et en plus très jolis et pleins de gentillesse.
Ils étaient durs envers tout le monde
Qui voisinait leurs terres.
Un jour, pour éprouver leur orgueil,
Leur apparaît une vision venant de Dieu,
Troublante et effrayante à voir des yeux,
Et terrifiante ; je ne vous mens pas là-dessus :
C'étaient trois morts mangés par les vers,
Aux corps enlaidis et défigurés.
[…]
Le troisième mort dit : « Frères et amis, […]
Revenir à la vie, pour rien au monde
Je ne veux ; il y a plus de douleur que de joie
À ce morceau qu'est l'attente de la mort
Où il y a trop à tendre sans rompre ;
Ah ! quel dur et pénible passage !
Contre la mort il n'y a qu'un remède,
C'est de se tenir soir et matin
En bonne conduite et se comporter ainsi
Comme si l'on devait vivre toujours ou tout à l'heure
Mourir, et qu'on n'ose surtout pas
Demeurer une heure en état de péché.
[…]
Pour nous priez notre Père,
Dites-lui une patenôtre ;
Tous trois, de bon cœur et d'intention,
Que Dieu vous conduise à une bonne mort. »

Trad. Jean-Marcel Paquette

Sagesse profane et recueils allégoriques

Proverbes, sentences et maximes

Les proverbes sont omniprésents dans la culture du Moyen Âge. Ils reflètent les rapports de force, les tensions et les conflits de la société féodale ou évoquent des rivalités entre régions. Les *exempla*, contes exemplaires souvent pittoresques, font même autorité dans les sermons, à côté de la Bible. À la fin du XIIe siècle, **Mathieu de Vendôme** en propose une définition qui rend justice à leur place essentielle : « Le proverbe est une sentence commune à laquelle l'usage accorde foi, que l'opinion publique adopte et qui correspond à une vérité confirmée. »

Illustration du proverbe : « Pour faire peur à ton ennemi, bats ton chien. » Villard de Honnecourt, *Album*, 1225-1235, BNF, Paris.

Les proverbes émanent d'anciens recueils de dictons savants du monde antique, comme ceux de Sénèque, de Diogène Laërte et d'Ésope. Les *Distiques de Caton*, traduits au XIIIe siècle, fournissaient en épigraphes la plupart des ouvrages médiévaux. De la littérature chrétienne viennent les proverbes de Salomon et les histoires empruntées à la Bible. Mais la tradition populaire a également fourni au Moyen Âge un trésor de proverbes et de récits populaires.

Le plus souvent, les proverbes sont de forme elliptique :

De nuit tout blé semble farine.

L'allitération ou l'assonance permet de mieux marquer l'idée :

Qui se ressemble s'assemble.

La corvée. Miniature d'une bible du XIIIe siècle, BNF, Paris.

À chaque oiseau son nid est beau.
À longue corde tire, qui mort d'autrui désire…

Terre à terre, les proverbes expriment des lieux communs de pensée :

Qui bien chasse bien trouve.
Plus sont de compères que d'amis.
Qui a assez d'argent a assez de parents.

Et ils reflètent la dure existence des « vilains » :

Il n'a droit à sa peau qui ne la défend.
Au diable on ne peut faire tort.

Les Proverbes au vilain

Les 280 *Proverbes au vilain* ont été réunis en 1175 par un protégé de Philippe de Flandre. « Le proverbe du vilain nous enseigne que souvent chose qu'on dédaigne vaut mieux qu'on ne le pense », écrit Chrétien de Troyes*. Chaque proverbe, rimé, est clos par la phrase : « Ainsi dit le vilain. » La langue est souvent triviale et les sujets très prosaïques, mais ces proverbes offrent une série de tableaux pour le moins colorés de la France du XIIe siècle.

Soi-même déçoit
Et dommage reçoit
Celui qui trop honore le félon ; […]
Oignez le cul au mastin [valet]*, il vous chiera dans la main.*
Ainsi dit le vilain.

Les Proverbes ruraux et vulgaux

Les *Proverbes ruraux et vulgaux*, compilés en 1317, se situent dans la même veine :

Faites du bien au vilain et il vous fera du mal.
Graissez les bottes d'un vilain, il dira qu'on les lui brûle.
Quand le cheval est volé, le fou ferme l'étable.
Entre deux selles, on tombe le cul par terre.
Peine de vilain n'est comptée pour rien.
Contre vicieux ânon, vicieux ânier…

La Ballade des proverbes

Dans la *Ballade des proverbes* (1460), François Villon* s'amuse à remanier des proverbes en les juxtaposant, faisant ainsi voler leur sens en éclats. Ce poème fut composé pour regagner les faveurs de Charles d'Orléans* et, au-delà de son aspect ludique, la demande de réconciliation apparaît évidente…

Tant gratte chèvre que mal gît,
Tant va le pot à l'eau qu'il brise,
Tant chauffe-t-on le fer qu'il rougit,
Tant le maille-t-on qu'il se débrise,
Tant vaut l'homme comme on le prise,
Tant s'éloigne-t-il qu'il n'en souvient,
Tant mauvais est qu'on le déprise,
Tant crie-t-on Noël qu'il vient.

Tant parle-t-on qu'on se contredit
Tant vaut bon bruit que grâce acquise
Tant promet-on qu'on s'en dédit
Tant prie-t-on que chose est acquise
Tant plus est chère et plus est quise
Tant la quiert-on qu'on y parvient
Tant plus commune et moins requise
Tant crie-t-on Noël qu'il vient.

[…]

Tant raille-t-on que plus on n'en rit,
Tant dépend-on qu'on n'a chemise,
Tant est-on franc que tout y frit,
Tant vaut « Tiens ! » que chose promise,
Tant aime-t-on Dieu qu'on fuit l'église,
Tant donne-t-on qu'emprunter convient,
Tant tourne vent qu'il chet en bise,
Tant crie-t-on Noël qu'il vient.

Prince, tant vit fol qu'il s'avise,
Tant va-t-il qu'après il revient,
Tant le mate-t-on qu'il se ravise,
Tant crie-t-on Noël qu'il vient.

Bestiaires, lapidaires et plantaires

Physiologus, XIIIe siècle, BNF, Paris.

Le **bestiaire** est un recueil de moralités mettant en action des animaux. Les sources les plus anciennes des bestiaires sont la Bible et des fables grecques du *Physiologus* (IIe siècle apr. J.-C.). Traduites en de nombreuses langues, ces histoires fabuleuses auront un succès considérable et seront diffusées de l'Orient jusqu'en Irlande. Décrivant les caractéristiques d'animaux réels ou légendaires, elles sont destinées à l'édification morale ou religieuse. Elles mettent en scène une véritable ménagerie de l'imaginaire qui inspirera notamment les sculpteurs des cathédrales. Les animaux fabuleux y tiennent une grande place, comme le griffon, la harpie, l'hydre, le centaure, le dragon, le phénix, la sirène ou la licorne.

Dans le même esprit allégorique que le bestiaire, le **volucraire** regroupe exclusivement des oiseaux.

Le premier bestiaire en langue romane est celui de **Philippe de Thaon** (v. 1120), qui est dédié à la femme d'Henri Ier, roi d'Angleterre et duc de Normandie. Il dépeint un monde manichéen, le combat permanent entre le Démon et Jésus, les vices et les vertus. Un siècle plus tard, le *Bestiaire* de **Pierre de Beauvais** est le principal représentant des bestiaires à finalité didactique et morale. Le *Bestiaire d'Amour* de **Richard de Fournival** (v. 1250), parodie courtoise du bestiaire moralisé, marque quant à lui la fin du genre. Les manuscrits sont illustrés et leur iconographie obéit à des codes précis : le nom de l'animal est accompagné de la description de ses principales caractéristiques – souvent enrichie d'une interprétation religieuse – et d'une illustration car, selon Richard de Fournival : « La mémoire a deux portes, la vue et l'ouïe ; et chacune ouvre sur un chemin qui y conduit, la peinture et la parole. »

Le Bestiaire de Pierre de Beauvais

Pierre de Beauvais (Picardie, XIIIe siècle) est l'auteur d'une traduction en vers des vies de saint Eustache, saint Germer et saint Josse, de *Miracles de saint Jacques* en prose, ainsi que du roman *Voyages de Charlemagne en Orient.* Mais il est surtout connu pour son *Bestiaire* (1210-1218) qui donne une interprétation religieuse des comportements des animaux, réels ou imaginaires. Car « Dieu a créé toutes les créatures pour l'homme, qui doit y prendre exemple de foi et de créance ». La croyance en l'existence d'animaux fabuleux, en particulier la licorne, perdura jusqu'au XVIIe siècle !

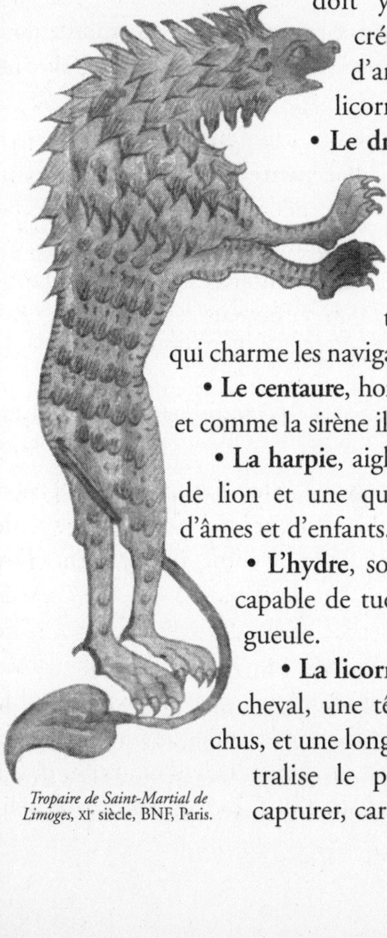

• **Le dragon** possède des griffes, des ailes et une queue de serpent. Il vomit son venin avant de boire et est asphyxié par l'haleine de la panthère…

• **La sirène**, poisson à tête et poitrine de femme, est un démon marin qui charme les navigateurs en les endormant par son chant.

• **Le centaure**, homme au corps de cheval, est hypocrite, et comme la sirène il charme les hommes.

• **La harpie**, aigle à tête de femme, a parfois un corps de lion et une queue de cheval. C'est une ravisseuse d'âmes et d'enfants.

• **L'hydre**, sorte de serpent d'eau à sept têtes, est capable de tuer un crocodile en pénétrant dans sa gueule.

• **La licorne**, ou **unicorne**, possède un corps de cheval, une tête de bouc, souvent des pieds fourchus, et une longue corne au milieu du front, qui neutralise le poison. Seule une pucelle peut la capturer, car elle symbolise la virginité.

Tropaire de Saint-Martial de Limoges, XIe siècle, BNF, Paris.

• **La centicore** est un cheval aux longues cornes, au poitrail de lion, à la queue d'éléphant et à la voix humaine...

• **Le griffon**, lion ailé à bec et serres d'aigle, oreilles de cheval et nageoires de poisson, est le gardien du temple, du palais ou du tombeau.

Phénix renaissant de ses cendres. Gravure du *Bestiaire d'Aberdeen* (v. 1200), bibliothèque de l'Université, Aberdeen.

• **Le phénix**, symbole d'éternité, allégorie de la survie de l'âme après la mort, est une sorte d'aigle gigantesque aux ailes rouge doré. Créature unique, il ne peut pas se reproduire mais vit plusieurs siècles. Lorsqu'il sent sa fin venir, il se confectionne un nid de branches aromatiques et d'encens, l'enflamme et s'immole par le feu. Un nouveau phénix surgit alors des cendres...

• **La serre**, ou **sarce**, est un oiseau marin doté d'immenses ailes qui s'amuse à faire la course avec les navires :

Il existe dans la mer une bête qui est appelée serre, et qui a de très grandes ailes. Quand elle aperçoit un navire à la voilure déployée, elle se dresse, les ailes étendues, s'élance au-dessus de la mer, et commence à voler à sa poursuite, comme si elle voulait rivaliser avec lui pour le gagner de vitesse. [...] Mais quand le souffle lui manque, elle a honte d'être vaincue. [...] aussitôt qu'elle se rend compte qu'elle est dans la nécessité de renoncer à cause de sa grande fatigue, elle abaisse ses ailes et les replie, et se laisse alors aller d'un seul coup jusqu'au fond de la mer. Et les ondes de la mer l'emportent épuisée tout au fond, au lieu dont elle était partie.

La mer est le symbole de notre monde. Les navires représentent les justes qui ont traversé sans danger, en toute confiance, les tourmentes et les tempêtes du monde, et qui ont vaincu les ondes mortelles, c'est-à-dire les puissances diaboliques de ce monde. La serre qui veut rivaliser de vitesse avec les navires représente ceux qui d'abord s'attachent aux bonnes œuvres, et qui ensuite en viennent à renoncer et sont vaincus par de multiples vices, à savoir la convoitise, l'orgueil, l'ivresse, la luxure, nombre d'autres vices qui les attirent en enfer comme les ondes de la mer attirent la serre vers le fond.

Trad. Gabriel Bianciotto

Le Bestiaire d'Amour de Richard de Fournival

Richard de Fournival (v. 1201-1260), chanoine d'Amiens et de Rouen, est l'auteur d'un catalogue raisonné de la bibliothèque publique d'Amiens sous forme allégorique, de poésies lyriques courtoises et surtout du *Bestiaire d'Amour* (v. 1245), dans lequel il donne une interprétation

La serre. *Bestiaire* de Philippe de Thaon, v. 1300, Kongelige Bibliotek, National Library of Denmark.

courtoise et érotique aux symboles animaliers traditionnels. Dans le passage qui suit, la serre représente cette fois la figure du Rival, aimé de la Dame mais qui ne l'aime guère en retour :

> Je dis que cet homme vous suit exactement de la même manière [que la serre], aussi longtemps que le souffle ne lui manque pas. Car il accepterait bien d'accomplir votre volonté tant qu'elle ne serait pas contraire à la sienne : mais aussitôt qu'elle lui est contraire, ce n'est pas seulement un peu de mauvais gré qu'il montrerait à votre égard pour supporter votre volonté ou pour se réconcilier avec vous : au contraire, il vous abandonnerait d'un seul coup à l'occasion d'une colère. Et c'est pour cette raison que je dis que vous tenez à lui, et qu'il ne tient pas à vous. Mais quoique vous ne teniez pas à moi, il est bien manifeste que je tiens à vous : en effet – pardonnez-moi – vous avez tant de fois provoqué ma colère que si j'avais dû, sur un coup de colère, me séparer de vous, c'est que je ne vous aurais pas aimée d'un amour aussi démesuré que je le fais.

Trad. Gabriel Bianciotto

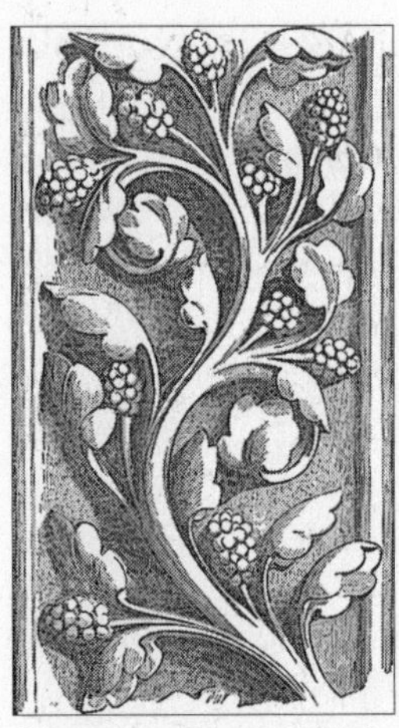
Cresson, plante aux vertus médicinales. Bas-relief de la cathédrale Notre-Dame de Paris, XIIe siècle.

Lapidaires et plantaires

La tradition du **lapidaire** – du latin *lapis*, « pierre » – remonte à l'encyclopédiste Pline l'Ancien. Il s'agit d'un traité énumérant les vertus magiques et médicinales des pierres précieuses, les plus prisées étant l'agate, l'améthyste, la chrysolite, le cristal, l'émeraude, le jaspe, l'onyx, l'opale, le saphir, la topaze et le zircon. Le *Bestiaire* de Philippe de Thaon (voir p. 100) comporte deux lapidaires en vers, l'un alphabétique, l'autre apocalyptique… Et le *Miroir du monde* de Vincent de Beauvais (voir p. 87) énumère une centaine de pierres.

Le **plantaire** ou **herbier** est quant à lui un catalogue symbolique de plantes, magiques et médicinales, souvent inspiré de l'herbier illustré de Dioscoride (Ier siècle), le meilleur traité de botanique jusqu'à la Renaissance.

Les chroniques historiques

Au Moyen Âge, une chronique est un ouvrage, parfois écrit collectivement, relatant une série de faits chronologiquement (du grec *chronos*, le temps). Les évêchés et presque toutes les grandes abbayes tiennent des chroniques pour conserver la généalogie des rois, des nobles et des abbés, surtout s'ils furent saints ou conquérants. Les chroniques ont également pour vocation de permettre la datation des événements. Elles sont rédigées par un lettré de confiance, qui se fait un devoir d'embellir, de purifier et de sanctifier toutes les actions des personnages. Les événements d'Orient suscitent naturellement de nombreux textes historiques, racontant telle croisade ou les hauts faits de tel prince. À partir de la IVe croisade, les chroniques commencent à être rédigées en langue romane afin d'être accessibles à un plus grand nombre. Partisanes et partiales, elles s'attachent à l'étude d'un moment historique sans plus ressentir le besoin de remonter à la Création du monde avant de relater la période intéressante.

Outre les quatre grandes chroniques du Moyen Âge – celles de **Villehardouin**, **Froissart**, **Joinville** et **Commynes** –, citons également la *Conquête de Constantinople* de **Robert de Clari**, les *Chroniques du temps de Philippe le Bel* de **Geoffroi de Paris** (1306), les *Vraies Chroniques* de **Jean le Bel** (fin du XIVe siècle), l'*Histoire du règne de Charles VI* de **Jean Juvenal des Ursins** (début du XVe siècle), le *Journal d'un bourgeois de Paris* (anonyme, première moitié du XVe siècle) et *Le Livre des faits et bonnes mœurs du sage roi Charles V* de **Christine de Pisan***.

Villehardouin

La IVe croisade et la prise de Constantinople

Geoffroy de Villehardouin (1154 ?-1213 ?) est le premier à raconter l'histoire de son temps en prose et en français. Maréchal du comte de Champagne, soldat et diplomate, il est né à Villehardouin, près de Troyes. De 1207 à 1213, il rédige ses mémoires intitulés *Histoire de la conquête de Constantinople* ou *Chronique des empereurs Baudouin et Henri de Constantinople.* Il y relate dans un style remarquable les événements survenus entre 1198 et 1207 : la IVe croisade, qui aboutit non pas à la prise de Jérusalem mais à celle de Constantinople, prestigieuse capitale de l'Empire byzantin, en 1204. Cette ville grecque orthodoxe devint la capitale d'un éphémère empire, la « Romanie », dont Villehardouin fut maréchal. Il avait pris une grande part à la préparation de la croisade et aux négociations qui aboutirent au détournement de ses objectifs. Son ouvrage est en quelque sorte un

Arrivée des Croisés à Constantinople en 1147. BNF, Paris.

plaidoyer en faveur des décisions prises à l'époque. Son point de vue est donc partial : c'est un récit de grand seigneur aux intentions édifiantes. Dans un passage, il expose sobrement l'état d'âme des assaillants de tout grade :

> Ceux qui n'avaient jamais vu Constantinople la contemplèrent longuement, car ils ne pouvaient imaginer qu'une ville aussi puissante pût exister dans le monde entier. Quand ils virent ces hautes murailles et ces puissantes tours dont elle était enclose dans tout son pourtour, et ces magnifiques palais, et ces hautes églises qui étaient si nombreuses que personne ne pourrait le croire sans le voir de ses propres yeux, et la longueur et la largeur de la ville qui de toutes les autres était la reine. Et sachez qu'il n'y eut homme si hardi dont la chair ne frémît, et ce n'était pas extraordinaire, car jamais si grande expédition ne fut entreprise contre tant de gens depuis la création du monde.
>
> *Trad. Jean Dufournet*

Une autre *Conquête de Constantinople* fut rédigée par **Robert de Clari** entre la fin du XIIe et le début du XIIIe siècle. C'est le témoignage d'un petit seigneur qui vit les événements au jour le jour. Moins informé que Villehardouin, il ne perçoit pas l'ampleur et la signification des actions engagées mais en donne des descriptions plus précises et plus vivantes.

Joinville

Saint Louis et la VIe croisade

Saint Louis portant le sceptre et la main de justice. XIIIe siècle, Archives nationales, Paris.

Sénéchal de Champagne, compagnon de croisade de Saint Louis, Jean de Joinville (v. 1224-1317) rédigea à plus de 80 ans un récit sur « les saintes paroles et les bons faits de Saint Louis » à la demande de la reine Jeanne de Navarre, épouse de Philippe le Bel. Il fut également l'un des principaux témoins lors de son procès en canonisation. Son *Histoire de Saint Louis* (1305-1309) est un document précieux sur la VIe croisade. Mais c'est aussi un monument à la gloire de Louis IX, célèbre pour son amour de la justice et de la vérité, sa tempérance, sa bonté et son inébranlable foi. La narration, plus hagiographique qu'historique, est pleine de digressions et d'anecdotes. Sympathique, Joinville évoque le grand homme avec naïveté, spontanéité et naturel. Ainsi, lorsque Saint Louis lui enjoint de laver les pieds des pauvres le jeudi saint, s'exclame-t-il :

« Sire, hé ! malheur ! les pieds de ces vilains ! jamais je ne les laverai.
– Vraiment, dit le roi, c'est mal répondu, car vous ne devez point dédaigner ce que Dieu fit pour notre enseignement. Je vous prie donc, pour l'amour de Dieu d'abord, de prendre l'habitude de les laver. »

Saint Louis lavant les pieds d'un pauvre. *Grandes Chroniques de France*, XIVᵉ siècle, BNF, Paris.

Et c'est bien sûr Joinville qui a décrit Saint Louis rendant la justice sous son chêne du bois de Vincennes :

Il arriva bien des fois qu'en été il allait s'asseoir au bois de Vincennes, après sa messe, et s'adossait à un chêne et nous faisait asseoir autour de lui. Et tous ceux qui avaient une affaire venaient lui parler, sans être gênés par des huissiers ou par d'autres gens. Et alors il leur demandait de sa propre bouche : « Y a-t-il ici quelqu'un qui ait une affaire ? » Et ceux qui avaient une affaire se levaient, et il leur disait : « Taisez-vous tous, et l'on réglera vos affaires l'une après l'autre. » Et alors il appelait messire Pierre de Fontaine et messire Geoffroi de Villette et il disait à l'un d'eux : « Réglez-moi cette affaire. » Et quand il voyait quelque chose à corriger dans les propos de ceux qui parlaient pour lui ou de ceux qui parlaient pour un autre, il le corrigeait lui-même de sa propre bouche.

Trad. Jacques Monfrin

Froissart

La guerre de Cent Ans

Originaire de Valenciennes, chanoine de son état et grand voyageur, Jean Froissart (v. 1333-1400) eut la chance de vivre dans la société de plusieurs grands seigneurs directement impliqués dans la guerre de Cent Ans. Poète dans le sillage de Guillaume de Machaut*, il est surtout connu pour ses *Chroniques de France, d'Angleterre, d'Écosse, d'Espagne, de Bretagne, de Gascogne, de Flandre et lieux d'alentour* (1374 ou 1400), fort documentées, qui relatent la première moitié du conflit sous l'angle déjà un peu désuet des idéaux féodaux et courtois. Qu'ils soient français, anglais ou flamands, tous les gens de guerre se valent dès lors qu'ils font preuve de bravoure. Froissart consacra sa vie à passer d'un camp à l'autre, interrogeant, confrontant et reconstituant les faits avec patience.

> Partout où j'allais, je faisais enquête aux anciens chevaliers et écuyers qui avaient été en faits d'armes et qui savaient en parler correctement, et aussi à des hérauts de confiance pour vérifier et justifier toutes matières. Ainsi ai-je rassemblé la haute et noble histoire et matière [...] ; et tant que je vivrai, par la grâce de Dieu, je la continuerai ; car plus j'y travaille, plus elle me plaît.
>
> Page d'ouverture du livre IV des *Chroniques*

Se divisant en quatre livres, les *Chroniques* couvrent la période qui s'étend de 1325 à 1400. Le premier livre narre la campagne d'Édouard III contre les Écossais, les batailles de Crécy, Poitiers et Cocherel, le siège de Calais par les Anglais, le sac de Limoges et l'histoire d'Étienne Marcel, prévôt des marchands de Paris. Le deuxième traite de la révolte de Wat Tyler en Angleterre, des troubles en Flandre et des sinistres « écorcheurs » qui ravageaient les campagnes. Le troisième raconte le séjour de Froissart chez le comte Gaston de Foix et la vie que l'on menait à la cour d'Orthez. Le quatrième enfin relate les exploits des chevaliers français aux joutes de Calais, la prise de Mont-Ventadour et le dernier voyage de Froissart en Angleterre. Grand prosateur, il ne se contente pas de rapporter des faits mais s'attache à leur donner vie, brossant des tableaux riches en couleurs, truffés de détails savoureux et pittoresques.

Étienne Marcel joue un rôle considérable dans les états généraux tenus en pleine guerre de Cent Ans. Il meurt assassiné par les bourgeois parisiens qui considèrent qu'il est allé trop loin dans son opposition au roi et qu'il pourrait livrer la ville aux Anglais. Détail des *Chroniques* de Froissart, seconde moitié du XVe siècle, BNF, Paris.

> Avant que les corps de bataille fussent rangés et disposés convenablement, le jour commença de paraître. Les Anglais se mirent alors à chevaucher sans ordre, parmi les bruyères, les montagnes, les vallées, il y avait des fondrières et de grands marais, et des passages si difficiles que c'était merveille que chacun n'y demeurât point, car on chevauchait toujours de l'avant, sans attendre seigneur ni compagnon. [...] On cria souvent en ce jour « À l'arme ! » et l'on disait que

Charles IV le Bel accueillant Isabelle de France. Enluminure des *Chroniques* de Froissart, seconde moitié du XVe siècle, BNF, Paris.

les premiers rangs étaient aux prises avec l'ennemi, si bien que chacun, croyant que c'était vrai, se hâtait le plus possible [...] Et quand on avait ainsi couru une demi-heure ou davantage, l'on arrivait au lieu d'où venait ce bruit ou ces clameurs, et l'on se trouvait tout déçu ; car c'étaient cerfs ou biches, ou autres bêtes sauvages [...] Chacun alors de crier après ces bêtes, ayant cru que c'était tout autre chose.

Commynes

Louis XI et Charles VIII

Fils d'une grande famille de Flandre, Philippe de Commynes (1447-1511) fut chambellan et conseiller du duc de Bourgogne Charles le Téméraire ; il fut par la suite l'un des négociateurs préférés de Louis XI jusqu'à la fin de son règne. À la mort du roi, il prit le parti du duc d'Orléans, mais la régente installa au pouvoir Charles VIII et Commynes fut enfermé dans une cage de fer. Puis, amnistié, il reprit son rôle d'ambassadeur auprès des rois Charles VIII, dit l'Affable, puis Louis XII – tous deux époux d'Anne de Bretagne. C'est pendant ses années de captivité qu'il rédigea ses *Mémoires*, recueil de documents qui n'étaient pas destinés à être publiés. Il se compose de deux parties : « Histoire de Louis XI » (1489-1493) et « Histoire de Charles VIII » (1495-1497), précieux témoignages historiques sur cette époque. Voici par exemple le portrait qu'il brosse du roi Louis XI :

Anne de Bretagne vers 1508, symboliquement entourée par sainte Anne, sainte Ursule (portant une bannière bretonne !) et sainte Hélène. *Grandes Heures d'Anne de Bretagne*, BNF, Paris.

J'ai vu beaucoup de tromperies en ce monde, et de beaucoup de serviteurs envers leurs maîtres, et plus souvent tromper les princes et seigneurs orgueilleux, qui veulent peu écouter parler les gens, que les humbles qui

Mémoire établissant les droits de Louis XI sur le duché de Bourgogne, fin du XVe siècle, BNF, Paris.

volontiers les écoutent. Et entre tous ceux que j'ai jamais connus, le plus sage pour se tirer d'un mauvais pas en temps d'adversité, c'était le roi Louis XI, notre maître, le plus humble en paroles et en habits, et qui travaillait beaucoup à gagner un homme qui pouvait le servir, ou qui pouvait lui nuire [...] en lui promettant largement, et en lui donnant argent et états qu'il savait lui plaire. Et quant à ceux qu'il avait chassés et déboutés en temps de paix et de prospérité, il les rachetait bien cher, quand il en avait besoin, et s'en servait, et ne les avait en nulle haine pour les choses passées. Il était naturellement ami des gens de moyen état, et ennemi de tous les grands qui pouvaient se passer de lui. Nul homme ne prêta jamais tant l'oreille aux gens, ni ne s'enquit de tant de choses, comme il faisait, ni qui voulut jamais connaître tant de gens ; car véritablement il connaissait toutes gens d'autorité et de valeur qui étaient en Angleterre, en Espagne, en Portugal, en Italie, et ès seigneuries du duc de Bourgogne, et en Bretagne, comme il faisait avec ses sujets. Et ces termes et façons qu'il tenait, dont j'ai parlé ci-dessus, lui ont sauvé la couronne vu les ennemis qu'il s'était lui-même acquis à son avènement au royaume. Mais surtout lui a servi sa grande largesse : car ainsi il conduisait sagement l'adversité.

Chroniqueur scrupuleux et objectif, psychologue averti, Commynes s'autorise des digressions sur divers sujets, comme l'utilité de l'histoire dans l'éducation des princes :

L'un des grands moyens de rendre un homme sage est d'avoir lu les histoires anciennes et d'apprendre à se conduire et se garder et entreprendre sagement par les histoires et exemples de nos prédécesseurs. Car notre vie est si brève qu'elle ne suffit pas à avoir l'expérience de tant de choses.

Commynes réfléchit aux effets de la justice de Dieu envers les princes, tente de définir le caractère du peuple français ou essaie d'établir les lois générales de l'histoire. Ses récits, directs et vivants, très évocateurs, brossent un tableau incomparable des mœurs politiques et des mentalités de son temps.

Le renouveau poétique

La poésie lyrique des troubadours et des trouvères décline au XIIIe siècle. Elle cède la place aux « dits », des poésies didactiques ou morales qui abordent tous les sujets. Parallèlement se développe une nouvelle poésie lyrique, qui parle de l'individu et de l'angoisse qu'il éprouve devant les mutations de la société...

Rutebeuf et Villon, poètes engagés

Au XIIIe siècle, la poésie personnelle et politique de Rutebeuf témoigne de l'apparition d'un nouveau genre poétique que nous dirions « engagé ». Doué pour l'invective autant que pour la complainte, il annonce la verve de François Villon, deux siècles plus tard.

Rutebeuf

Prostituée au travail. Frontispice des *Comédies de Térence*, 1493, BNF, Paris.

Rutebeuf (v. 1230-v. 1285), Parisien probablement d'origine champenoise, est l'auteur de poésies populaires, satiriques et lyriques ainsi que de pièces de théâtre (voir *Le Miracle de Théophile*, p. 82). Son œuvre, par la multiplicité de ses formes et de ses intentions, reflète la complexité de l'époque. Dans *Le Dit de l'herberie*, on apprend que Rutebeuf est « vilain d'origine, clerc par le savoir, laïc par l'habit et pauvre comme Job ». Fuyant les collèges qui ne dégoisent que « verbocination latiale » (mauvais latin), il choisit la profession aventureuse de jongleur. Accompagné de sa vielle, il se présente dans les demeures seigneuriales de Paris où il interprète d'abord des chansons de geste, puis ses propres œuvres. Il y raconte sa vie, ses misères et la dureté des temps. Dans *Le Mariage Rutebeuf*, il évoque sa lamentable union avec une femme de 50 ans qui « n'est ni gente ni belle » mais qui, « maigre et sèche », est « blessée d'enfants » dont il faut payer les nourrices...

La Complainte Rutebeuf

Dans *La Complainte Rutebeuf* (v. 1261), le poète dit avoir perdu son œil droit et son cheval. Il est terrassé par la misère et, en hiver, son malheur est pire. Sans feu dans la cheminée, on va chercher la chaleur dans les cabarets où l'on joue aux dés le peu que l'on possède… Heureusement, toutefois, il y a la consolation de la poésie, et la prescience de la gloire :

L'on pensait que je suis prêtre
Car je fais plus signer de têtes
Que si je chantais l'Évangile
On se signe parmi la ville
De mes merveilles…

Trad. Gustave Cohen

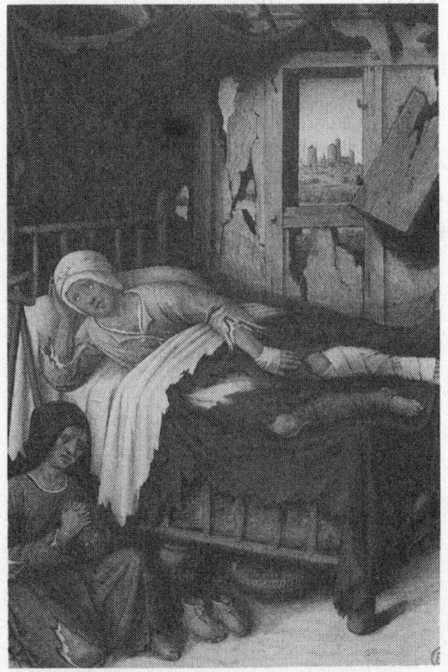

Jean Bourdichon, *Les Quatre États de la société : la pauvreté*, XVe siècle, École des Beaux-Arts, Paris.

Rutebeuf prend part à la querelle contre les frères mendiants qui tentent de s'implanter dans l'enseignement universitaire. Il soutient les croisades de Saint Louis et flétrit avec véhémence la cupidité, l'hypocrisie et la lâcheté, notamment des moines, qui trahissent les idéaux chrétiens et engendrent toutes les misères humaines. L'amertume et l'humiliation de sa condition le portent à l'autodérision. Mais Rutebeuf exprime aussi ses sentiments d'une manière étonnamment intemporelle, comme dans ce célèbre passage :

Que sont mes amis devenus
Que j'avais tant cultivés,
Et tant aimés ?
[…]
L'amitié est morte :
Ce sont amis que le vent emporte,
Et il ventait devant ma porte,
Ainsi le vent les emporta,
Car jamais aucun ne me réconforta.

Trad. Anne Berthelot

François Villon

En révolte contre la société et l'ordre établi, François Villon est hanté par le temps qui passe, la mort, la détresse et la faiblesse humaines ; ses poésies lyriques sont empreintes de piété et de compassion pour les pauvres. Né à Paris en 1431, il est reçu bachelier à la faculté des Arts (lettres) en 1449, où il est licencié en 1452. Il peut donc enseigner et recevoir des bénéfices. Mais en 1455, il tue un prêtre au cours d'une rixe et doit quitter Paris. Un an plus tard, il commet un vol avec effraction ; s'ensuit une errance de quatre années à travers la France, avec pour toile de fond les lendemains de la guerre de Cent Ans et son cortège de brutalités, de famines et d'épidémies. Villon est reçu chez Charles d'Orléans*, mais commet de nouveaux méfaits pour lesquels il est emprisonné. Récidiviste impénitent, entouré de mauvais garçons, il reste cependant toujours en contact avec les hautes sphères, qui le protègent et lui obtiennent des « lettres de rémission ». Relâché par Louis XI, Villon revient à Paris en 1462 où il compose son *Testament.* Condamné en 1463 à être « pendu et étranglé », il rédige sa *Ballade des pendus.* Le jugement est annulé après appel, mais Villon est banni de Paris pour dix ans. On perd alors sa trace…

François Villon, gravure sur bois, XVIe siècle, BNF, Paris.

Dans ses poèmes, Villon observe avec humour les vices et travers de ses contemporains et les siens propres. Il prend à contre-pied l'idéal courtois, renverse les valeurs admises en célébrant les gueux promis au gibet, cède volontiers à la description burlesque ou à la paillardise et multiplie les innovations de langage. La relation étroite que Villon établit entre les événements de sa vie et sa poésie l'amène également à laisser la tristesse et le regret dominer ses vers. Mais surtout il dote l'octosyllabe et le décasyllabe d'une harmonie nouvelle, avec une langue simple et naturelle que l'on comprend aujourd'hui sans traduction. En outre, dédaignant l'accompagnement musical traditionnel, il consacre la poésie comme un genre autonome. Au XIXe siècle, les romantiques feront de Villon le précurseur des poètes maudits.

Lais et Testament

Les *Lais* (1456) puis le *Testament* (1462) de Villon sont les recueils qu'il désirait léguer à la postérité. Ses *Lais*, regroupant 40 huitains d'octosyllabes, sont un testament spirituel et poétique constitué d'une cascade de legs fantaisistes et satiriques. Ses cibles favorites sont les autorités, la police, les ecclésiastiques trop bien nourris, les bourgeois, les usuriers. Il déclare ainsi laisser de l'argent :

Un itinérant à l'image de Villon.
Chants royaux sur la conception,
XVe siècle, BNF, Paris.

À trois petits enfants tout nus
Pauvres orphelins impourvus,
Tous déchaussés, tous dévêtus,
Et dénués comme le ver,
Afin qu'ils soient pourvus
Au moins pour passer cet hiver…

Puis il nomme ces enfants, qui sont trois abominables usuriers !

Dans son *Testament*, de plus de 2 000 vers, la gravité se mêle à la bouffonnerie, l'émotion à la raillerie, la tristesse à la débauche. Âgé de 30 ans, las, Villon a peur de la mort et de la damnation éternelle. Il évoque sa vie errante, confesse ses péchés et se plaint d'avoir été victime de sa mauvaise fortune :

Je suis pécheur, je le sais bien ;
Pourtant Dieu ne veut pas ma mort,
Mais que je me convertisse et vive en bien.
[…]
Hé, Dieu ! si j'avais étudié
Au temps de ma jeunesse folle
Et m'étais à bonnes mœurs dédié,
J'aurais maison et couche molle.
Mais quoi ? Je fuyais l'école
Comme fait le mauvais enfant.
En écrivant cette parole,
À peu que le cœur ne me fend.

Il regrette sa jeunesse envolée, consacrée à aimer en vain, la vieillesse qui déforme les corps, la mort qui les pourrit…

Grand Testament de Maistre François Villon, 1489, BNF, Paris.

Ainsi le bon temps regrettons
Entre nous, pauvres vieilles sottes,
Assises bas, à croupetons,
Tout en tas comme des pelotes,
À petit feu de chènevottes,
Tôt allumées, tôt éteintes ;
Et jadis nous fûmes si mignotes !...
Ainsi arrive-t-il à maints et maintes.

Les Regrets de la Belle Heaulmière

Un temps viendra qui fera dessécher,
Jaunir, flétrir votre épanouie fleur,
Vieux je serai, vous, laide, sans couleur...

Ballade à s'amie

Le recueil comporte des ballades aux tons prodigieusement variés, tour à tour mélancoliques (*Ballade des dames du temps jadis*, reprise par Georges Brassens), doctrinales (*Ballade de bon conseil*, où il se présente comme un délinquant amendé), narquoises (*Ballade des femmes de Paris*, au refrain « Il n'est bon bec que de Paris »), patriotiques, parodiques (*Ballade en vieux langage français*, au célèbre refrain « Autant en emporte le vent »), désespérées (*Ballade des seigneurs du temps jadis*), cyniques (*Double Ballade*, qui montre que c'est l'amour qui a perdu les grands héros de l'Antiquité), résignées ou amères (*Ballade de Fortune*, qui exprime sa déception envers le monde des bien-pensants dont il est exclu), satiriques et argotiques (*Ballade de la Grosse Margot* ou *de la Belle Heaulmière*, qui mettent en scène des prostituées), religieuses (*Ballade pour prier Notre Dame*, dont le refrain est « En cette foi je veux vivre et mourir »), ou tout simplement virtuoses (*Ballade des proverbes*, voir p. 99)... Les plaisanteries grossières et irrespectueuses sont contrebalancées par les émotions vives et poignantes, en un savant mélange de formes poétiques.

Dites-moi où, en quel pays,
Est Flora la belle Romaine,
Archipiades, ni Thaïs,
Qui fut sa cousine germaine,
Écho, parlant quand bruit on mène
Dessus rivière ou sur étang,
Qui beauté eut trop plus qu'humaine ?
Mais où sont les neiges d'antan ?

Où est la très sage Héloïse,
Pour qui fut châtré et puis moine
Pierre Abélard à Saint-Denis ?
Pour son amour eut cette essoine.
Semblablement, où est la reine
Qui commanda que Buridan
Fût jeté en un sac en Seine ?
Mais où sont les neiges d'antan ?

La reine Blanche comme un lis
Qui chantait à voix de sirène,
Berthe aux grands pieds, Bietrix, Aliz,
Haramburgis qui tint le Maine,
Et Jeanne, la bonne Lorraine
Qu'Anglais brûlèrent à Rouen ;
Où sont-ils, où, Vierge souveraine ?
Mais où sont les neiges d'antan ?

Prince, n'enquerrez de semaine
Où elles sont, ni de cet an,
Que ce refrain ne vous remaine :
Mais où sont les neiges d'antan ?

Ballade des dames du temps jadis

La Ballade des pendus

L'*Épitaphe Villon*, dit *Ballade des pendus* (1463), a été composée alors que Villon était condamné à mort. Elle contient des paroles de pitié si pathétiques qu'elle a grandement contribué à sa légende.

Enluminure du XIVe siècle, BNF, Paris.

Frères humains qui après nous vivez,
N'ayez les cœurs contre nous endurcis,
Car, si pitié de nous pauvres avez,
Dieu en aura plus tôt de vous merci.
Vous nous voyez ici attachés, cinq, six :
Quant à la chair, que trop avons nourrie,
Elle est depuis longtemps dévorée et pourrie,
Et nous, les os, devenons cendre et poudre.
De notre mal personne ne s'en rie ;
Mais priez Dieu que tous nous veuille absoudre !
[...]
La pluie nous a débués et lavés,
Et le soleil desséchés et noircis ;
Pies, corbeaux, nous ont les yeux cavé,
Et arraché la barbe et les sourcils.

Jamais nul temps nous ne sommes assis ;
Puis çà, puis là, comme le vent varie,
À son plaisir sans cesser nous charrie,
Plus becquetés d'oiseaux que dés à coudre.
Ne soyez donc de notre confrérie ;
Mais priez Dieu que tous nous veuille absoudre !

Manuscrit de Guillaume de Machaut, XVe siècle, BNF, Paris.

Une nouvelle poésie lyrique

La poésie des troubadours et des trouvères survit jusqu'à la fin du XIIIe siècle. Adam de la Halle*, poète et dramaturge connu sous le pseudonyme d'Adam le Bossu, en sera l'un des derniers représentants. Jusqu'alors, romans et poésie étaient rédigés en vers. Ce n'est qu'à partir du XIVe siècle que la distinction entre la poésie et la prose va voir le jour. Cette poésie récitée, le *dit*, par opposition au chant, s'éloigne des conventions courtoises pour devenir une forme d'expression particulière, caractérisée par l'emploi du vers et la peinture du *moi*. Le terme de poète, réservé jusque-là aux auteurs de l'Antiquité, apparaît alors, donné pour la première fois à **Guillaume de Machaut** par son disciple **Eustache Deschamps**. Le poète est celui qui propose sa vision du monde, se libérant peu à peu de l'inspiration religieuse et morale, en exploitant les ressources formelles de la langue et de la composition. Comme l'écrit Jacqueline Cerquiglini : « Le dit est un discours qui met en scène un *je*, le dit est un discours dans lequel un *je* est toujours représenté. Par là le texte dit devient le mime d'une parole. » C'est la véritable naissance de la poésie telle qu'on l'entend aujourd'hui.

Guillaume de Machaut, musicien poète

Guillaume de Machaut laisse une œuvre importante dans le domaine des lettres et de la musique. Après une formation de clerc à Reims, il devient le secrétaire particulier de Jean de Luxembourg, le puissant roi de Bohême, qu'il accompagne dans ses voyages à travers toute l'Europe. En 1335, il prend ses fonctions de chanoine à Reims, où il commence à édifier une œuvre à la fois poétique et musicale.

Guillaume de Machaut, détail d'une miniature des *Œuvres de Guillaume de Machaut*, v. 1370-1380, BNF, Paris.

Poussant à leur ultime épanouissement les tendances du lyrisme médiéval de la voix pour l'ouvrir au champ de l'écriture, il a su articuler art ancien et art nouveau dans des pièces où s'entremêlent poésie et musique : ses dits comportent des morceaux chantés et ses petites poésies à forme fixe (rondeaux, lais, virelais et ballades) sont inséparables de leur support musical. À côté de nombreux motets et mélodies, il compose la première messe polyphonique (la *Messe de Notre-Dame à quatre voix*), et près de 400 poèmes lyriques !

Le Livre du Voir Dit

Son chef-d'œuvre, *Le Livre du Voir Dit* (v. 1364), présente une alternance de passages narratifs, de poèmes lyriques et de lettres, dans lesquels l'écrivain apparaît sous toutes ses facettes littéraires : le poète réfléchissant sur son art, l'amant s'adressant à celle qu'il aime, le clerc cherchant à transmettre son savoir. Ce recueil poétique complexe tient sa cohérence de la trame narrative qui rapporte une histoire d'amour, à la fois très concrète et allégorique, entre une jeune dame et un vieux poète, à la fois confession autobiographique sur la vieillesse et réflexion sur les pouvoirs de la littérature.

Guillaume de Machaut est l'un des premiers artistes à avoir pensé sa production poétique et musicale comme une œuvre, comme en témoigne l'organisation de ses manuscrits.

Ici commence le livre du Voir Dit.
À la louange et en l'honneur de très parfaite Amour,
que j'aime et dont je suis le très obéissant et le très respectueux serviteur,
ayant placé en elle toute ma pensée ; pour ma Dame gracieuse,
à qui je me suis donné corps et âme,
et que j'aime d'un cœur d'ami véritable,
et incomparablement plus que moi-même ;
et en l'honneur d'Espérance la valeureuse,
qui jamais ne me faillit au besoin,
je veux commencer une œuvre nouvelle.

Trad. Paul Imbs

Eustache Deschamps

Disciple de Guillaume de Machaut*, Eustache Deschamps (v. 1346-v. 1407), également connu sous le nom d'Eustache Morel, est lui aussi originaire de Champagne. Tout en occupant différentes fonctions à la cour des rois Charles V et Charles VI, il produit une œuvre poétique gigantesque de 1 500 poèmes, soit près de 82 000 vers. Il écrit aussi un grand nombre de fables, dont La Fontaine** s'est inspiré, notamment pour « La Cigale et la Fourmi ». Dans ses pièces lyriques comprenant ballades, rondeaux et virelais, il aborde des thèmes variés (sujet amoureux, satires, pièces didactiques, réflexions morales) en mêlant termes familiers et mots rares. Conscient de la décadence de l'idéologie courtoise, il lui substituera une philosophie proche du *carpe diem*, rapportant des anecdotes réalistes avec verve et ironie.

Il me suffit que je soye bien aise
Car il n'est rien qui vaille franche vie.

Ballades de moralité

Poésies de Guillaume de Machaut, XIVe siècle, BNF, Paris.

Le Miroir de mariage

Son œuvre de grande ampleur, *Le Miroir de mariage* (v. 1392), est une allégorie inachevée de plus de 11 000 vers dans laquelle il traite de l'amour, de la mort et du patriotisme. Par l'emploi du *je*, la personnalité du poète intervient pour la première fois, faisant la morale ou se moquant du monde qui l'entoure. À la même époque, il rédige également l'un des premiers traités de poétique : *L'Art de ditier.*

Christine de Pisan

Christine de Pisan écrivant. 1407, British Library, Londres.

Fille de l'astrologue italien de Charles V, arrivée avec lui en France à l'âge de 5 ans, Christine de Pisan est considérée comme la première femme de lettres française ayant vécu de sa plume. C'est à 26 ans, se retrouvant avec trois enfants à charge, sans appui ni famille à la Cour, qu'elle est contrainte de travailler et choisit le métier d'homme de lettres. D'une grande érudition, elle compose entre 1400 et 1418 des œuvres de commande variées, d'abord des pièces lyriques qui obtiennent un franc succès. Puis, prenant de l'assurance, elle signe des traités de politique, de morale et de philosophie (*Le Chemin de longue étude*), s'intéressant même au droit militaire (*Livre des faits d'armes et de chevalerie*). Elle s'engage parallèlement dans un combat en faveur des femmes et de leur représentation dans la littérature, forçant l'admiration de ses collègues masculins par son obstination. À la fin de sa vie, elle se retire dans un couvent où elle écrit un *Ditié de Jeanne d'Arc.*

Cent Ballades d'Amant et de Dame

Son recueil *Cent Ballades d'Amant et de Dame* (1410) se présente sous la forme d'un dialogue amoureux émouvant, fidèle aux thèmes courtois, où la Dame meurt après avoir été délaissée par l'Amant. Son œuvre a des accents prophétiques, comme dans cet extrait du *Chemin de longue étude*, d'une étonnante actualité :

Je me prends à songer
Combien ce monde n'est que vent :
De peu de durée, plein de tristesse,
Sans certitude ni bonne foi ;
Les plus grands ne peuvent se prémunir
Contre Fortune et Malheur,
Et il y a tant de corruption
Qu'à peine voit-on des gens purs.
Je pensais aux ambitions,
Aux guerres, aux épreuves,
Aux trahisons, aux embûches qui y règnent,
Et aux graves fautes que l'on y commet ;
Quel grand malheur
Que l'on craigne si peu les péchés.
Je m'étonnais – d'où vient
Qu'on ne peut se tenir en paix ?
Sous le firmament, tout se livre la guerre ;
Pas seulement sur la terre,
Où les hommes se combattent tant,
Mais même dans l'air il y a conflit…

Trad. Andrea Tarnowski

Charles d'Orléans, le « prince poète »

Charles d'Orléans (1394-1465) est le fils de Louis d'Orléans, frère de Charles VI. Son père se fait assassiner et il est lui-même emprisonné après la défaite d'Azincourt en 1415. Pendant sa longue captivité – jusqu'en 1440 ! –, il écrit des poèmes en français et en anglais. Libéré contre une forte rançon, il épouse la jeune Marie de Clèves et renonce aux luttes politiques pour s'adonner à la poésie dans son château de Blois, entouré de ses amis poètes tels qu'Olivier d'Anjou ou Jean Meschinot**. Dans ses poèmes regroupés en un recueil, *Œuvres poétiques* (1450-1455), il renouvelle le lyrisme amoureux en utilisant les formes fixes que sont ballades et rondeaux :

Ma seule amour, ma joie et ma maîtresse,
Puisqu'il me faut loin de vous demeurer,

Charles d'Orléans dans sa tour à Londres.
British Royal Museum.

Je n'ai plus rien à me réconforter,
Qu'un souvenir pour retenir liesse.
En allégeant, par Espoir, ma détresse,
Me conviendra le temps ainsi passer,
Ma seule amour, ma joie et ma maîtresse,
Puisqu'il me faut loin de vous demeurer.
Car mon las cœur tout garni de tristesse,
S'en est voulu avecques vous aller ;
Ne je ne puis jamais le recouvrer
Jusque verrai votre belle jeunesse,
Ma seule amour, ma joie et ma maîtresse.

Trad. Anne Berthelot

Toute la poésie de Charles d'Orléans est fondée sur une réflexion sur le temps et le moi, à la fois le temps qu'il fait (« Le temps a laissé son manteau / De vent, de froidure et de pluie »), le temps qui passe et le temps qui modèle le moi, un moi marqué par la tristesse et le « nonchaloir », pris dans les aléas de la vie :

Je n'ai plus soif, tarie est la fontaine ;
Je suis bien échauffé, mais sans le feu amoureux ;
Je vois bien clair, mais il n'en faut pas moins que l'on me guide ;
Folie et sens me gouvernent tous les deux ;
Je m'éveille ensommeillé en Nonchaloir ;
C'est de ma part un état mêlé,
Ni bien, ni mal, au gré du hasard.

Ballade CXX, trad. Anne Berthelot

Bibliographie

• Paul BANCOURT, *Les Musulmans dans les chansons de geste du Cycle du Roi*, 2 vol., Publications de l'Université de Provence, Aix-en-Provence, 1982.

• Anne BERTHELOT, Emmanuel BURY, Jeanne et Michel CHARPENTIER, *Langue et littérature – Anthologie Moyen Âge, XVIe, XVIIe, XVIIIe siècles*, Nathan, 1992.

• Anne BERTHELOT, François CORNILLAT, *Littérature Moyen Âge – XVIe siècle*, coll. « Henri Mitterand », Nathan, 1989.

• Pierre BRUNEL et Yvonne BELLENGER avec Daniel COUTY, Philippe SELLIER et Michel TRUFFET, *Histoire de la littérature française du Moyen Âge au XVIIIe siècle*, Bordas, 1981.

• Jacqueline CERQUIGLINI-TOULET et Nigel WILKINS (dir.), *Guillaume de Machaut*, Presses de l'Université de Paris-Sorbonne, 2002.

• Francis CLAUDON, *Les Grands Mouvements littéraires européens*, Nathan Université, 2004.

• Alain COUPRIE, *Les Grandes Dates de la littérature française*, Nathan Université, 2003.

• Michèle GALLY et Christiane MARCELLO-NIZIA, *Littératures de l'Europe médiévale*, Magnard, 1985.

• *France médiévale*, Guides Gallimard, 1998.

• Michel JARRETY (dir.), *La Poésie française du Moyen Âge au XXe siècle*, Quadrige Manuels, PUF, 2007.

• LAFFONT & BOMPIANI, *Dictionnaire des auteurs de tous les temps et de tous les pays* et *Dictionnaire des œuvres de tous les temps et de tous les pays*, coll. « Bouquins », Robert Laffont, 1990.

• Jean d'ORMESSON, *Une autre histoire de la littérature française*, 2 vol., NiL Éditions, 1997.

• Jean-Marcel PAQUETTE, *Poèmes de la mort, de Turold à Villon*, éd. bilingue, 10/18, 1979.

Ulrich de Liechtenstein en route pour le tournoi déguisé en Vénus. Début du XIVe siècle, Bibliotheca Augustana, Heidelberg.

• Régine PERNOUD, *Pour en finir avec le Moyen Âge*, Seuil, 1977.

• Marie-Hélène TESNIÈRE, *Bestiaire médiéval – Enluminures*, BNF, 2005.

• Michel ZINK, *Introduction à la littérature française du Moyen Âge*, coll. « Références », LGF/Le Livre de poche, 1994.

Index des auteurs

Moine copiste enlumineur. Jean Méliot, *Miracles de Notre Dame*, 1455, BNF, Paris.

Index des œuvres

Les Très Riches Heures du duc de Berry, « mois d'août », frères de Limbourg, 1410-1416, AKG, Berlin.

928

Composition PCA – 44400 Rezé
Achevé d'imprimer en Italie par Grafica Veneta
en juin 2009 pour le compte de E.J.L.
87, quai Panhard-et-Levassor, 75013 Paris
Dépôt légal juin 2009
EAN 9782290012123

Diffusion France et étranger : Flammarion